사랑은 무한대이외다

박소란 엮음

1918-1936

핀드

차례

일러두기

* 본문의 강조점과 괄호 표기는 원문을 그대로 따랐다.
* 줄표, 공표, 가위표 같은 부호도 원문대로 두었다.
* 본문의 일부 한자는 원문에 따라 당시 조어 표기를 그대로 반영하였다.
* 지명과 외래어는 시대상을 반영해 원문의 한자음 표기와 외국어 표기를 살렸다.

1부

왜 살아가려느냐

초몽初夢

『여자계』 제2호 1918. 3.

탄실*이는 간밤에 감아서 아직 마르지 않은 검은 머리를 요 위에 풀어헤치고 무슨 신산스러운 꿈을 꾸었는지 휘— 한숨을 짓는다. 오전 한 점 종소리에 왼편으로 몸을 뒤척일 때 비단이불 소리가 바삭바삭하고 백설 같은 요 위에는 검은 파도가 일어나며, 탄실이는 두 번째 탄식을 한다. 탄실이는 혼자 중얼거린다. 잠꼬대는 아니다. 아아 금년에도 나의 고생은 계속되겠구나. 시방 꾼 꿈은 참 이상도 하다. 꼭 구약전서에 쓰인 옛 유태인의 신몽神夢 같구나.

내가 걷던 곳은 꼭 ○○ 같은데, 비 오고 바람 부는 낮에 나는 맨발로 홀로 어디인지 한정 없이 열심히 달아날 때에

* 김명순의 아명이자 대표 필명

벽력霹靂 소리는 굉장하였다. 몸이 한 줌만큼 줄어든 것을 의식할 때에 공중에서 전진하라고 호명하는 까닭에 나는 하릴없이 자꾸만 달아났었다. 한참 만에 날이 개고 좋은 음악 소리가 요요히 들리더니, 어떤 젊은 사람이 나를 안개가 보얗게 일어나는, 좌우에 타원형의 댑싸리 나무가 초록으로 늘어서 있는 예술의 길로 인도하여주었다. 나는 그때에야 비로소 휘 차가운 숨을 다— 내쉬고 비에 젖은 옷을 벗고 절색絶色*으로 칠한 집으로 들어가 가벼운 옷을 새로 입고 피아노 앞에 앉아서 〈춘春의 축祝〉이라는 곡을 연주하였다.

탄실이는 말을 마치고 다시 한숨지으며 영채榮彩** 있는 고운 눈을 스르르 감았다. 그린 듯이 움직이지도 않는 탄실의 귀에는 다만 램프의 기름 잦는 소리가 미묘하게 들릴 뿐이다.

* 빼어나게 아름다운 색

** 영화로운 빛깔

봄 네거리에 서서

『생명의 과실』 1925

다시 봄이 돌아왔다.

'어린이의 관머리*에 선 어머니의 마음같이' 무겁게 땅 밑으로 주저앉고 싶어 하던 하늘이 맑은 웃음을 띠고 곱게 개었다.

땅 위에 쌓였던 눈이 흔적도 없이 녹아든다. 네 길거리를 지나는 바람이 이 골목으로 드나 저 골목으로 드나 날빛을 빨아마시는 나무 가지가지에 부딪칠 때는 필경 봄을 고하려니 하고 생각된다.

봄이다, 봄이다. 내 마음속에 무엇이 속살거린다. 참으로 봄인가보다. 멀리 바라다보이는 나뭇가지들에도 봄이 왔다

* 시체의 머리가 놓이는 관의 위쪽

는 생각을 아니 가질 수 없는 봄인가보다. 또 무엇이 이렇게 대답한다.

무거운 마음과 가벼운 마음이 봄을 이야기하는, 내 마음속 맨 밑을 굽어본다.

어찌하였느냐 아이야 어찌하였느냐 아이야 왜 눈물 같은 것을 아주 씻지 못하느냐?

내 입술이 저절로 내 몸 위에서 부르짖는다.

하나 무거운 무거운 내 마음속 맨 밑은 울음을 그치지 못한다. 아아 내 입술은 탄식한다.

—너는 봄을 모르는구나, 불쌍한 아이야. 너는 지금까지 봄을 못 보았구나.

—울음을 그쳐라. 엊저녁에 네 운명의 신이 꿈 가운데에서는 바뀌지 않았더냐. 너는 지금부터 천천한 걸음으로 걸어갈 수 있지 않으냐.

—봄이다 봄이다 아직 늙지 않은 아이야, 뛰고 놀아라. 네 눈은 아직 빛나고 네 뺨은 아직 붉지 않으냐. 지나는 일 초…… 일 분…… 들이다. 네게 빛이 보이는 듯싶지 않으냐.

탄식이 위로로 변하여 제 자신을 위로한다. 하나 내 마음 속 맨 밑은 그까짓 것으로 위로를 받을 수 없이, 울음을 그칠 줄을 모른다.

가볍게 들뜨려던 마음과 무섭게 가라앉으려던 마음이 엉클어져서 운다. 세상에는 봄이 왔으되 네게는 깨일 줄 모르는 겨울이다. 세상은 봄옷을 입되 너는 겨울의 누더기를 벗지 못한다.

긴— 겨울 무거운 누더기는 얼마나 지루한 것이랴. 하물며 세상이 다— 화려한 장식을 한 봄 네거리에 서서야 얼마나 쓰라릴 것이냐.

화려할 소녀의 시대를 능욕과 학대에 빼앗기고 너는 지난 십 년간 얼마나 아프게 울어왔더냐. 길을 지나는 낯익은 얼굴들이 다 네게 무엇을 말하느냐.

가슴을 두들기며 몇 밤을 새워가며, 길거리를 지나는, 가장 낯익어 보이는 사람에게 네 마음을 풀어 보인대야 알고 싶을 사람이 있을지는 모르나 가슴속 깊이 박힌 네 설움이 쉽게 옮겨질 것이냐……. 온—몸과 온 마음이 한데 엉클어져서 울음을 그칠 줄 모르고 운다.

—슬픈 사람에게는 사랑도 없고 희망도 없다. 다만 설움, 그것만 있을 것이다. 그 외에는 아무것도 없다.

그가 모든 잃어버린 과거를 갖다준대야 지금에 이르러 기꺼워할 것이 아니고, 더군다나 "내가 너를 사랑한다" 하고 귀밑에 속삭여준대야 귀찮을 뿐이고 기꺼워할 것이 아니다.

어떤 친구가, 쓸쓸한 얼굴로,

"누가 먼저 나를 사랑한다면 나도 하리라. 그러지 않고 나는 용기가 없다" 하고 터무니없는 말을 했다. 아아 얼마나, 생각 없이 자기를 더럽히는 말이냐. 그때 웃으면서 그 친구에게 한 말이 다시 생각난다.

"친구여, 저편에서, 공연히 친구를 보지도 않고, 사랑을 해준다면, 친구는 얼마나 귀찮고 모욕을 느낄 것인가. 친구여, 그런 맘을 버리고 노동을 해보거나 그렇지 않으면 울어 보라."

참으로 그밖에는 하는 수가 없다.

세상에, 남이 나를 사랑한다니까 턱없이, 그 품갚음으로 사랑을 얼른 줄 것인가? 아무리 해도 십여 년 추위에 떨어온 내 마음으로도, 십여 년 누더기를 못 벗은 내 마음으로도 그런 생각이 들지 않는다.

만일 모르는 사람이 내게 사랑스럽다고 말해준다면 나는 곧 그 사람에게 마음이 쏠리기는 고사하고, 언뜻 마음속 깊이 박힌 그림자를 향해서 말 없는 것을 한탄할 것이다.

하나 나는 내 마음속 깊이 박힌 내 그림자에게, 아무 말 못하고, 육 년간 울어왔다.

그는 나와 몸 모양이 같다. 생각이 같고 따라서 말이 같았다.

하나, 긴— 겨울을 못 벗은 누더기에 싸인 몸으로, 어찌 행동이 같으랴. 그런 까닭에, 긴긴밤에, 졸리는 눈을 냉수로 적셔가며 글을 쓰면서도 누더기에 눌리는 팔을 건반 위에 놀리면서도,

"내가 당신을, 사랑합니다. 아무리 안 하려고 해도 그래집니다."

이 한마디를 못한다.

나와 내 마음속에 박힌 그림자의 주인과는, 운명적으로 접근할 수 없는 것이다. 두 사람은 선천적으로나 후천적으로나 접근할 수도 없는 것이다. 이것을 아는 나는 구태여 내 마음속에 박힌 그림자를 가까이 하려고 하지 않는다. 그뿐 아니라 그 그림자의 주인이 눈앞에 보이면, 나는 눈을 감을 것이고, 또 가까이 온다면, 나는 피할 것이다. 하나 나는 그를 사랑하는 것이다. 내가 세상에 나와서, 죽을 때까지 꼭 하나인 그를 꼭 한 마음으로 일 초 일 분도 마음을 고치지 못하고 그를 사랑하는 것이다. 내 헤픈 입이 어떤 부랑자에게, "내가 너를 사랑한다"고, 지껄이는 동안에도 또 어떤, 미친 것에게, 당신같이, 잘난 사람을 사랑치 않을 수 있을까요 하고, 괴롭게 웃으며 조롱하는 동안에도, 내 사랑은 내 마음속에 박힌 한 그림 위에 쏟아져서 그 밖에 흐르지 않을 것이다.

사면을 휘둘러보아도 겨울인 내 경우로, 따뜻한 사오월 인정의 꽃들 가운데 내 그림자의 주인을 못 잊어 그 마음을 지킨다면, 얼른 웃으리라. 하나, 나는 그에게서가 아니면 내 자신의 이상과 같은 말과 행실을 못 보았다. 그렇다고, 내가, 그에게, 고백을 못 하는 것은 경우가 다른데, 세상이 나와 그를 꼭 같이 보지 않는 탓이다. 하나 세상은 몰라도 나는 천하의 미인이 천하의 추물과 꼭 같은 것을 드문드문 보았다 해도 그 미인이란 작자는, 그 추물이 가까이 오면서, 내가 너와 같다고 하면 노여워할 것이다. 그 추물이 만일 나는 너보다 낫다고 할 것이면 그는 고만 웃고 말 것이지만 꼭 같다고 하면 성낼 것이다.

그와 같이, 같다는 말은 가장 책임이 많은 말이다. 동시에, 서로 알 것이라는 말이 된다. 안다는 것! 안다는 것! 이 한마디가, 세상에는 제일 귀한 말이 된다. 먼저 자기를 안 다음에 남을 아는 것, 이것만이 귀하다. 이것이 사랑을 이루고, 가정을 이루고, 사회를 이루고 국가를 이루어야 편할 것이다.

그러나, 어찌해서, 저편에서 나를 사랑하는 줄 알 것이냐? 나는 이것을 말할 줄 모른다. 다만 차고 쌀쌀스러운 이른 봄바람을, 춥다고 겨울바람으로만 알면, 모—든 나무들은 꽃을 피워보지 못할 것이다. 이미 죽은 나무나, 살아서 성한 나무도 그 봄소식을 모를 것이다. 이와 같이, 생명을 가지고 있는 소식을 기다리던 모—든 사람이, 자기를 아는 사람이 나를 사랑한다는 것을 알 것이 아닌가 하고 생각한다.

아아 봄 네거리에 서서, 날이 저물었다. 저녁 안개가, 길가의 전선과 높은 지붕과 빛나는 광고판들을 어렴풋이 보이게 한다. 아득이기 쉬운 때로구나 하고, 울던 마음이 정신을 차린다. 길 지나가는 눈짓들이 거듭거듭 시선을 던진다. 걸어가던 발걸음들이, 멈칫멈칫 서서 바라본다.

"미인이로구나."

"학생이 아니야."

이러한 말들이, 내 울던 뺨을 근지럽게 친다. 근지러운 것은 아픔만 못하게, 속이 쓰라리다. 차라리 매를 맞는 것이 나을 것 같다.

다시 봄이 왔다.

누더기를, 쓴 몸으로도, 화려한 것이 그립다 따뜻한 것이 부럽다 생각하게 된다.

봄 네거리에 섰던 내 발이 저녁 안개에 속아서 남문을 향하여 걸어가다가 돌아서서 북으로 걸어간다.

아아 북에는 내 경우가 있다. 운명이 있다. 나는 그것을 못 벗는다.

사랑〔愛〕?

『애인의 선물』 1929 추정

(1927년 작)

어느 날 밤에

"아아" 하고 깊은 호흡으로부터 낮고 가는 한숨을 지었었다.

이것이 얼마나 무서운 절망의 소리인지 나 이외에 아무도 들을 사람은 없었고 놀랄 사람도 없었다.

깊은 밤에 이불 속에 누워서 외는 혼잣소리이나 무엇인지 나 스스로 느끼기를, 영원을 향하여 분쇄하는 심지心地! 온 우주의 한편을 폭발시키려고 파열하는 무서운 소리 같다고 느꼈다. 아무도 모르게 혼자 외는 소리에 내 앓는 가슴속 가득 찼던 분노! 원한! 들이 팽팽하게 부풀어 오르다 못하여 그만 파열한 것 같다고 느낄수록 공포는 무럭무럭 자라서 전등 아래 있건마는 가지각색으로 눈앞에 어리어 진다.

—왜? 살아가려느냐.

—무엇 때문에 악착하게 살려고 하루걸러 의사의 신세를 입으며 애쓰느냐.

—네 모든 환경이 폭군과 같이 너를 없애려고만 학대하지 않았더냐.

—그리고 네 반가운 추억이라는 하압천下鴨川*의 물소리! 상야上野⁑의 붉은 참죽나무! 우전천隅田川* 기슭에 장래 있다던 피아노 소리! 추억만 고운 옛날 일이 아니었느냐. 그것들이 네게 무엇을 가져왔다고 못 잊고 살아가느냐.

—불더미 속에 든 무엇과 같이 너를 둘러싼 것은 다— 악惡이요 너를 지키는 것은 모두 불의不義다. 그 속에 젊은 생명으로 시달리는 네 마음이 얼마나 그것을 벗어나고 싶으랴.

—가련한 생명은 한 번도 복종하지 못한 감방 속에서 오

* 교토의 가모가와강 하류
⁑ 도쿄 우에노 지역
* 도쿄의 스미다강

래 부자유하였고 꿈에도 낯익어지지 않은 불의 속에 매인 포로였었다.

—그러나 척도와 중량을 잊지 말아라. 네 작은 한 몸이 다만 온 우주에 대면 조알 하나의 분량이 아니냐? 그러나 너는 생각하기를, 우주는 나와 같이 작은 것으로 성립되었다. 내가 만일 파열되는 경우에 우주도 한편이 분쇄한다고 생각한다. 그러나 헛심려임을 잊지 말아라! 그 이유는 네가 알듯이 너는 이 우주에서 아주 이분자異分子이기 때문이다.

—노력은 컸으나 공은 없었고 오래 살려고 하면 할수록 죽게 되는 생활, 그것은 온전히 너의 것이다.

× × × ×

나는 무의식 가운데 죽음을 결심한 듯이 오랜 원고 뭉텅이를 뒤적이면서 내가 이 세상을 떠나는 날 남겨두지 못할 글을 없애려고 하다가 편지 두 장을 발견하였다.

한 장은 하늘빛같이 푸른 서양 봉투 속에 들어 있었고 하나는 역시 푸른 조선 봉투 속에 들어 있었다.

서양 봉투 속에 있는 편지는 보지 않아도 '누님, 사랑은 정신적 친족끼리 성립되는 것이요, 또 그 종자를 낳아야 하는 것입니다' 하는 이 우주가 가진, 이만큼 모순을 가진 편지이고, 한 장은 다— 기억은 못 하는 '아름다운 K양'이라는 말로 시작된 퍽 긴 편지였다.

나는 어느덧 이상한, 나 스스로도 어디서 배웠는지 이해하지 못할 가락으로 소리 높여 읽었다.

× × × ×

아 고왕금래古往今來에 어느 것이나 살펴보면 스러지고 썩어지는 것이 원칙인 것 같습니다. 그러므로 우주는 적멸하고 인류는 사멸합니다. 그러나 이 멸망해가는 우주와 인류 간에도 영구불멸의 것이 있습니다. 그것은 곧 신념이요 지성至誠이요 진리요 사랑이외다. 그러므로 모든 것이 멸망해서 자취를 찾을 수 없으나 그대로 인간에게 남아 있는 것은 사랑입니다. 우주 건설의 전초가 사랑이요 지지가 사랑이요 인생의 토대가 사랑이외다. 즉 다시 말하면 사랑은 생명이요 만겁萬劫 멸망하지 않는 것이 곧 사랑이외다. 사랑이 끊긴다 하면 곧 죽음이요 멸망이요 황천이외다. 환언하면 '인생은 사랑에 나서 사랑에 살다 사랑으로 죽고 마는 것이외다'. 웃고 울고 움직이고 멈추는 것 중 어느 것도 사랑의 충동이 아닌 것은 하나도 없습니다. 만일에 이 세상에서 고물古物을 찾는다면 곧 사랑을 찾을 것이요 신물新物을 찾는다면 또한 사랑을 찾을 것이외다. 바꿔 말하면 사랑은 영구永久의 고물인 동시에 영구의 신물이외다. 그런 중 독일의 속담 '호두를 먹으려면 먼저 굳은 외곽外穀*을 깨뜨리지 않으면 안 된다' 함과 같이 우리가 진정한 사랑을 찾자면 참으로 주위의 모든 사정과 환경이라는, 양분도 맛도 없는 외곽을 먼저 타파하지 않으면 안 될 것입니다. 그것을 깨뜨리지 않고서는 결코 참된 사랑, 바꿔 말하면 사랑다운 사랑을 찾지 못할 것이외다. 물론 누구나 물으면 사랑한다고 말할 것이외다. 참이외다. 이 세상에는 누구나 사랑이라는 싹

* 견과류, 곡물 등의 딱딱한 외피

이 있는 것이외다. 혹은 인류애, 혹은 동포애 혹은 가족애, 혹은 자매애. 참이외다. 온갖 사랑이 있는 것이외다. 그러나 그것은 외적 사랑이외다. 참으로 사랑다운 사랑은 아니외다. 물론 그런 사랑도 있어야 하기는 하겠지요. 그러나 보다 더 무조건 맹목적으로 자기도 알 수 없는 중에 신임하고, 아니 하려야 아니 할 수 없는 그것이라야 참으로 사랑이외다. 세상이 배척하고 온 인류가 그르다 하여도 더할 수 없이 끓는 피, 솟아오르는 눈물에서 우러나오는 사랑이 참으로 사랑이외다. 혹은 무슨 조건을 가지고 사랑한다 하면 그 조건이 스러지는 때에는 그 사랑도 스러질 것입니다. 즉 그것은 그 조건에 대한 사랑이요, 사람 그에 대한 사랑은 아니었던 것입니다.

다시 말하면 혹 사람들이 지식으로 인격으로 황금으로 어느 사람에게 장점을 찾아내어 그것을 사랑한다 하면 만일에 지식이 더 나은 사람을 만나는 때에는 곧 그 사랑이 스러질 것입니다. 인격으로 그보다 나은 사람을 보는 때에도 또한 스러지고 말 것입니다. 또한 황금! 아니 그것은 순환물입니다. 그것이 다른 곳으로 이전하는 때에는 역시 그 사랑도 이사를 하고 말 것입니다. 그러면 그와 같이 조건이 있는 때에는 모든 것이 없어지고 말 것입니다. 사랑은 사랑으로서의 가치가 있어야 그 사랑이라는 자체의 가치가 비로소 성립되는 것입니다. 만유萬有*는 집 없는 방랑자와 같이 공空에서 공空으로 망망히 방황합니다. 사랑도 주인 없이 동에서 서까지 남에서 북까지 내왕하면서 어디나 안주처를 찾는 것입니다. 인생은 인생이요 신이 아니며 또한 짐승〔獸〕이 아니외다. 인생은 인생이외다. 영靈적 생활에만 만족을 얻을 수 없는 반면에 수獸적 생활도 그러한 것이외다. 인생은 신神과 수의 중간물이외다. 그러므로 신을 지배할 수 있는 동시에 수도 지배할 수 있는 것이니 만유의 지배권이 오직 인생에게만 있는 것입니다.

우주가 무한대한 것과 같이 인생, 즉 사랑도 무한대이외다. 서유기에서 손오공은 자기의 능력을 석가모니 부처에게 자랑하기 위하여 근두운을 타고 하루 만에 구만 리를 이동하여 앞의 다섯 개 산봉우리 중 제일 큰 봉우리에 '제천

* 우주에 존재하는 모든 것

대성휴어차처齊天大聖休於此處'*라고 쓰고 의기양양하여 돌아 왔습니다. 그러나 그것이 오히려 석가모니 손바닥 안, 긴 손가락에 싸인 것임을 깨달았습니다. 같은 이치로 사람 사람마다 잠시 사랑이라는 것을 맛보고는 그것이 전체의 사랑인 줄로 오해합니다. 그래서 혹은 실패니 실연이니 합니다. 참으로 우스운 것입니다. 사랑은 무한대이외다. 사랑은 무한대이외다. 아름다운 K양이여, 아무쪼록 이 혼돈한 사회에서 아름다운 구원의 여성이 되기를 바랍니다. 비록 남녀의 갈피는 있으나 이 긴 편지를 사랑으로 받으세요.

1925 $\frac{9}{11}$ 일독서우一讀書友

× × × ×

이러한 긴 편지를 읽을 동안에 나는 죽으려고 결심하였던 심기를 어느덧 잊어버리고 이 편지의 참뜻을 알려고 생각하게 되었다.

* 하늘과 같은 큰 성인이 이곳에서 쉬다.

이것이 무슨 편지일까? 아무리 생각하여도 염서艶書* 같지는 않고 또 내가 미워서 한 편지 같지도 않은데 내게 한 의문을 던져 내 죽음을 잊게 하는 이 편지가 무엇일까 나는 궁리하면서 내일 또 살아갈 생각에 얼른 휴지 뭉텅이를 도로 차근차근 싸버렸다.

× × × ×

밤이 새어갈 때에 나는 사람이 세상 살기는 사랑이 아니고 '의문' 때문이라고 느끼면서 그 기다란 편지를 곱게 접어서 행장 속에 깊이 감추었다. 밤은 고요히 새어갔다.

* 남녀 간의 애정을 담은 편지

네 자신의 위에

『생명의 과실』 1925
(1924년 12월 3일 초고)

오― 탄실아, 이십팔 년간의 네 생활이 쓰라리다고, 지루하고 억울하였다고 생각지 않니?

외롭고 설운 탄실아!

네 적은 발길이 날마다 날마다, 북망산北邙山* 속 무덤들의 사이보다도 더 무시무시하고 께름칙한 고개들을 암암한 눈물에 어리어 더듬어 넘길 때, 네 울던 눈이 무엇이라고 하늘을 우러러 말하느냐.

―이뿐입니까. 더 어려운 것이 또 있습니까? 그러나 거짓말만 듣지 않게 해줍쇼. 단지 소원이 그렇습니다. 그 몸서리가 절로 일어나는 거짓말의 오해만 입지 않게 해줍쇼.

* 무덤이 많은 곳의 대명사. 중국의 베이망산에 무덤이 많았다는 데서 유래한다.

칠팔 세의 어리던 네가 기다란 옥방망이돌 위에 작은 얼굴을 대고

—하나님, 정말 죽게 해줍쇼. 그리고 내 죽음으로 우리 엄마의 죄를 사해줍쇼.

하고 자지러질 때 너는 그때부터 살기가 싫다고 생각한 것이다.

그러나 거기서보다 날마다 날마다 어려워만 가는 것을 너는 지금껏 참아왔다. 언제든지 오해받는 누명 속에— 네 몸이 결백했건만 자백도 분명히 못 하고 네 몸에 어울리지 않는 누더기를 입고 살아왔다. 너는 어릴 때부터, 양기陽氣로운* 아이는 못 된다. 누가 너의 그렇지 못한 것을 질책하면 그것은 무리다. 여덟 살이 채 못 된 어린 몸이 죽음을 빈 것은 그 몸이 비단에 싸였을지언정 또 양친의 헤아리심 속에 자랐을지언정, 어디서 오는지 알 길이 없는 슬픔을 너 홀로 타고난 까닭이었다.

누가, 네 외로움을 낫지 못하게 하는 이상에 네 양기롭지 못함을 물으랴마는, 거기에는 깊은 깊은, 비밀이 숨어 있다.

* 만물이 살아 움직이는 활발한 기운이 있는

사람이 모르는 설운 비밀을 홀로 품고 마땅히 지나가야 할 길들을 지났을 네가, 오해 속에 잠겨서 이십팔 년간을 살아왔다.

이 세상에 나온 지 며칠이 못 되어 네 어머니가 다시 동생을 배게 되었을 때, 너는 어머니 젖줄에서 떨어져 유모의 낯선 품에 안기면서부터 무엇을 울었으랴…….

그러나 자라나는 생명의 이상스러운 힘은 네 몸 위에도 솟았다. 언제든지 유폐가 아니면 추방 속에서 남모르는 비밀의 삶을 살아온 너는, 학교에 가지 말라고 갇히거나, 가거나 말거나 내버려둔다고 내쫓기던 것이 원인이 되어서 네 어린 목숨 위에 여러 가지 비극을 일으켜왔다.

추방과 유폐, 그것은 너무나 동떨어진 일이면서도 한곳에 달려 있는 일들이 아니냐. 그러나 어찌하여 편하도록만 하지 못하였느냐.

반도 안에 둘째가는 큰 도회처에, 또 거기서도 권력 있는 집의 귀한 따님으로 여러 사람들 위에 받들어 길러진 너는, 부잣집 며느리, 또 행세하는 집 젊은 부인, 그러한 대명사를 능히 받을 몸이었다.

무엇 때문에, 열 살이 못 된 어린 몸이 어머니의 품을 떠나 그 사납고 무지하고 천박한, 모르는 사람들의 학대 아래 들볶이기 시작하였느냐.

그 역시 네가 타고난 비밀의 힘이었더냐. 오오 그렇다.

네 어린 생명의 싹이 자람에 따라, 네게 숨어 있는 큰 비밀도 나날이 자랐다, 아니 그 이상 더 자라났다. 네 육신이 차라리 많은 병을 앓고 발육이 완전치 못했을지언정, 네 마음속의 신비한 비밀의 힘은 급속도로 자라났다.

그 힘을 따라 네게는, 호기심이랄까, 혹은 지식욕이랄까 하는 불가사의의 힘이 부풀 대로 부풀어 올랐다.

나날이 자라면 자랐지 줄지는 않는 힘을 좁은 가슴속에, 넘치도록 품고, 따뜻한 방 아랫목에서 남모르는 눈물에 저절로 네 몸을 망쳐서야 옳으랴. 그렇지 않을 것 같으면 지금 네가 추방의 길을 걸어온 것이 잘못이 아니냐.

오오, 유폐되지 않으면 추방될 운명을 타고난 아직 젊은 사람아, 그것이 네 배경이었구나.

그러나 너는 어떠한 해결을 얻었느냐. 추방에서 방랑에서 유리에서, 얻은 것이 그 무엇이냐.

사람아, 머리를 가다듬고 모든 분노와, 반항을 잊어버리고 순진한 내 몸에 돌아가 생각해보자.

너는 아무것도 풀지 못했다. 오직 문제에 문제를 덧붙였을 뿐이다. 그러나 네 지식욕이 줄지는 않았다 할지라도 그 많은 문제를 너는 어떻게 다— 풀어나가려느냐.

너는 네 어릴 때 받은 믿음에서 머리를 돌리고, 사후천당死後天堂이라는 문구를 비웃은 지 오래다.

그러나 너는 실재한 신을 찾지 못하는 비극물이 아니냐. 믿음을 잃은 비극물아, 헌것을 헐어는 버렸어도 새것을 세울 수 없는 미물아, 모든 문제는 믿음에서만 풀 것이거늘 네 문제를 풀어낼 믿음이 네게는 있지 않구나.

학대받은 사람아, 네 자신 위에 고요히 돌아가 정밀히 생각해보라. 네 추방의 길 위에서 무엇을 보았는가? 무엇을 생각하였는가, 깊이깊이 반성하여보라.

아아 그러나 네가 고요하게 되어 정밀한 마음을 지키려

하면 지킬수록, 내 몸이 점점 분함과 억울함에 북돋워짐을 너는 어찌 하려느냐?

그렇다 사람아, 그것이 당연한 일이다. 한 사람에게 받은 한 능욕과, 멸시로 된— 네 모든 수치의 저수지가, 어느 하루 잊힐 날이 있었으랴.

하물며 그로 인해서 모—든 세상에게 돌리어진 오늘날이 처지에서랴, 의로운 절벽 위에 홀로 선 이 처지에서랴.

영구할 수치와 또한 곤욕, 네 한 몸을 위해서 아직은 어떠한 평안함이라도 이끌어올 수 있겠거늘 부질없이 모—든 흰옷 입은 사람들에게 돌리어지는, 거기서도 또 학대를 더 주지 못해서 흐물거리는 그 정경에서랴.

사람아 사람아, 치 떨리는 고개를 돌리자. 사람으로서는 이 분함과 이 억울함을 더 참을 수 없을 것이다. 오오 그렇다! 탄실아?

조선의 선도자로, 불명예한 일을 당했으니, 명예도 지켜본다고 힘쓰던 것은, 어린 계집아이의 도적놈에게 인정이 있으리라고 하던 헛소리다, 헛소리다.

이 반도 안의 모—든 사람들이 사욕만 찾고 영화만 찾거늘 너 홀로 돌리어져, 조국을 위하느니 열성을 다하느니 하는 것은 헛소리다. 그러나 너는 지금 네 머리를 돌릴 때를 당해서도, 저— 어느 나라 도회에서 네 빰을 붉히고, 너를 칭찬해주고 도와주던 네 은인에게

"조선 사람은 못난이가 아닙니다. 그들은 당신들이 합방을 시킨 후로 거듭 생활력이 쇠침해지는 탓입니다. 그 원인이 어디 있는지는 당신들이 잘 아실 것입니다" 하고 반항하던 것을 후회하지는 않는다. 또 어느 청년에게,

"나, 일본에 와 있으면 일본 여자들의 탁월함에 눌려서 아무것도 모르는 편이지만, 조선 가면 조선을 위해서 돕는 편이 될지 몰라요. 그러니까 내 몸은 내 사사로운 정의 자유가 못 됩니다" 하던 말들을 후회하진 않을 것이다.

사람아, 네 더운 뜻을 이 반도 안에서 이 백성들과 같이 이루지 못할 것이면 차라리 네 자신을 위해서만 힘써보라. 참으로 사람으로서는 오랜 학대와 곤욕을 못 당하느니라. 오오 그러나 그러나 조선아 조선아, 이제 한 번은 살펴보

라, 이제 한 번은 헤아려보라. 나와 네가 얼마나 사나운 이해력만을 품고 살아왔나!

오오, 지금껏 우리들에게는 믿음이란 참으로 거짓말이었다. 정말 있지도 않은 말이었다.

탄실아, 너는 네 숨질 듯이 아픈 가슴을 네 손으로 누르고, 조국을 떠나면서 두 마디의 말을 남기고 간다.

"생각을 믿거든 곧 실행합쇼. 자신을 속이듯이 남을 속여서 모함하지 마시오."

또다시 방랑의 길 위에 설 몸아, 그렇다—떠나라— 이 도회 안에는 네 빵이 없다, 네 빵이 없다, 집이 없다, 동무가 없다.

그러나 탄실아 탄실아, 지금 이같이 되어 떠나면서 눈물을 거두라. 부질없이 운대야 네 몸이 상할 뿐이다. 이 도회 안에는 네 울음을 같이 울어줄 사람은 없다.

모—든 것이 허사였다.

탄실아, 이제 한 번은 단지 너를 위하여 일어나보자. 모든 것을 잊어버리고 모든 인정을 물리치고, 이제 다시 일어나자.

그래서 너는 어느 도회에 가서 단지 네 한 몸의 영화로움을 위해서 학식을 얻는다.

오오 그러나 떠나는 탄실아, 떠나보내는 조선아, 너희들은 다시 한번 붙들고 이야기해볼 필요가 없느냐? 어째서 말동무라도 되어볼 사람이 없느냐, 어째서 자기가 낳은 것을 품어줄 인정이 없느냐, 어째서 약한 몸이 멀리 떠난다는데, 눈물이 없느냐.

오오 창부娼婦의 그것만 못한 탓이냐, 이 무정한 것아.

탄실아, 너는 간다. 네 한 몸의 영화로운 지식을 얻기 위해서 너는 간다. 그리고 입을 다문다.

오오 탄실아 탄실아.

네 한 몸의 문제만 풀러 너는 간다.

동인기 同人記*

『폐허이후』 제1호 1924. 1.

우리는 우리 자신에 대하여서나 남에 대하여서나 너무도 생활의 책임감이 부족하여왔나이다. 책임감이 부족하다 함은 곧 생활에 충실치 못하다는 의미외다. 그 증거는 현재 우리 생활의 깊이가 너무도 얕다는 것으로, 그로 인해 생활의 큰 반향도 없습니다. 아파도 아프다는 소리가 적고 슬퍼도 슬프다는 소리가 적습니다.

이 땅 위에 이 같은 불행이 어디 또 있으며 이 같은 고통의 거리가 어디 또 있으리오마는 남보다 몇 십 갑절 더 울어도 시원치 못할 우리네가 이 불행과 고통을 느낄 줄도 모르고 울 줄도 모르니……. 생이란 것이 무서운 모험임에 따

* 『폐허이후』는 『폐허』의 뒤를 이은 문예 동인지로 1924년 1월 창간해 통권 1호로 종간했다. 동인은 김명순과 김억, 오상순, 염상섭, 주요한, 현진건 등이다. 「동인기」는 책 말미에 마련된 코너로, 동인들의 짧은 글이 수록되어 있다.

라서 무서운 고통이 있음이요, 무서운 고통을 느낌에 비로소 무엇보다 가장 엄숙함을 깨달을 것이다. 이 엄숙을 깨닫지 못하는, 생에 충실치 못한 것이 우리네가 아닐까. 이 고통에 아플 줄 모르는, 불행의 불행인 빈혈을 유발한 당사자가 우리네가 아닐까.

우리 앞에 장차 까딱하면 영원의 일몰이 닥쳐올 줄 모르는가? 만일 그렇다 하면 그전에 우리는 무엇이든지 한 가지는 기어이 살려놓고 말아야 할 것이다. 하다못해 이 세상에 영원히 사라지지 않을 붉은 피를 박아놓고 없어지더라도……. 그 가운데에 문예의 길을 밟던 같은 동무는 절실히 더 이 사명을 느낄 것이다.

이 말씀은 그중에도 우리 회원에게 말하려 합니다. 자기가 남들과 같이 매명심賣名心*이 없으며 지조가 높다고 글 같은 것이라도 잘 내지 않으랴, 하지 말고 우리는 한 걸음 더 나아가서 사라져가는 싹을 북돋아 일으키려는 열성을 가져야 할 것이 아닌가?

반드시 글만 써낸다고 생활 책임에 충실하다는 것은 아

* 재물이나 권리를 얻으려고 이름이나 명예를 팖

니겠지마는…… 여러분이 다 각기 자기를 돌아다보고 또는 지금 일반의 태도를 보시면 다 짐작할 것입니다.

2부

힘 있는 대로 싸워왔노라

부친보다 모친을 존숭尊崇하고 여자에게 정치 사회 문제를 맡기겠다

동아일보 1922. 1. 7.

내가 남자가 되었으면 나는 여자에게 정치와 사회의 지배권을 주겠습니다. 만약 여자가 정치와 사회의 지배권을 가졌다면 여자는 본래 애愛의 인물이요, 정情의 인물이니까 지금 남자들처럼 공연히 소용없는 군함을 만들고 공연히 소용없는 병기兵器를 만들어 남의 나라 땅을 점령하고 남의 나라 백성을 죽이는 악마는 되지 않겠습니다.

통히 전 세계 여자가 정치와 사회의 지배권을 가졌다면 지나간 구주전쟁歐洲戰爭*과 같은 무참한 전쟁은 없으리라고 생각합니다. 이것이 오해인지는 모르나 내가 만약 남자가 되었다면 나는 근육적 노동이나 또는 과학 같은 것을 연구

* 제일차세계대전. 1940년 이전까지 우리나라에서는 제일차세계대전을 구주전쟁 혹은 구주대전歐洲大戰이라 칭했다.

하는 동시에 세상에 남과 충돌이 되고 남과 분쟁이 일어날 만한 정치 문제나 혹은 사회 문제에 대하여는 모두 여자에게 맡기고자 합니다. 그리하여 세상으로 하여금 전쟁과 분란이 없도록 하겠습니다.

둘째로 내가 남자가 되었으면 나는 어머니를 존경하는 사람이 되겠습니다.

보시오, 부모 두 분 중에 어느 편이 헐한 사람이겠습니까. 그러나 어머니의 힘과 은혜는 아버지에 비하여 훨씬 위대하고 강한 줄로 생각합니다. 열 달 동안 배 속에서 기르시고 그 후에 크도록 양육하는 것은 모두 어머니의 힘이외다. 그런데 조선 남자들은 아버지가 계시고 어머니가 죽으면 어머니를 위하여는 일년상一年喪을 입고 어머니가 계시고 아버지가 돌아가시면 삼년상三年喪을 입습니다. 어찌하여 어머니를 위하여는 일년상을 입고 아버지를 위하여는 삼년상을 입습니까. 이것 하나만 하여도 어머니를 경솔히 여기는 것을 가히 알겠습니다.

나는 남자가 되었으면 지금 남자들과 같이 무정한 사람

은 되지 않고 어머니의 은혜와 수고를 알아주는 다정한 사람이 되는 동시에 어머니를 극력 존경하고 귀히 여기는 사람이 되겠습니다.

이상적 연애

『조선문단』 제10호 1925. 7.

연애에 대해 갑甲은 홍紅이라 을乙은 청靑이라 병丙은 백白이라, 각각 자신들의 경험에 의하여 혹은 이성에 의하여 진기한 말들을 나열할지라도 종종種種의 천만 생명들이 각각 별다른 개성을 가지고 서로 융화한 심령끼리 맞춰나가는 최고 조화적 생활 상태를 몇 마디 말로 모든 사람이 다 수긍하도록 언급하려 함은 부자유한 형틀을 만들고 그 안에 연애가 들어맞나 안 맞나를 시험해보려는 것같이 무리한 듯하다.

그러나 이것은 법칙을, 도덕률을 무시하는 말은 아니다. 차라리 그 시대와 그 시대의 제도에, 그 밑의 사회, 또 거기

속한 사람들의 개성에 각각 물을 것이란 말이다. 그러나 이른 바 과도기에 있는 우리로서, 일반으로 통일된 신념을 못 가진 혼돈한 사회의 우리로서, 또 동요하는 생활보다 파란波亂 가운데 고난을 당하는 우리로서 얼른 말이 안 나가지만 나는 여기서 비연애적 추태(내 생각에 의해서만)를 몇 가지 써 놓고, 그 나머지의 모—든 남자와 여자가 같은 이상을 품고 결합하려는 친화한 상태, 또 아직 미치지 못한 동경을 이상적 연애라 하겠다.

우리의 연애는 동지 두 사람이 종교적으로 경건하며 같은 신념으로 공조하는 데 기인해서 같은 목표를 향해 전진하는 귀일점歸一點에서의 완성을 찬미치 않을 수 없으리라 한다. 하더라도 이것을 쓰는 내가, 영원히 구함을 그치지 않는 한 사색의 사람인즉 이상적 연애가 얼른 이 사회 제도에 맞지 않는 것이라고, 내 생활 위에 옮겨 오지 못할 공상과도 같은 것이라고 지적하지 않으리라고는 담보하지 못하겠다. 그러나 이 사회에서 빈번히 연출되는 몇 가지를 들어 비연애라 함은,

하나, 그의 다른 사람과의 연애 고백을 무시하고 그 상대자를 욕되게 하며, 연애한다고 음란한 짓을 꿈꾸는 것.

둘, 술에 취하여 그 집 문을 두드리며 그 상대자를 욕되게 하는 것, 난잡히 사실 아닌 일을 글로 써 내는 것.

셋, 너무 연애를 공상한 결과 없는 육적 관계를 사칭해서 상대자를 거짓 더럽히는 것.

넷, 역시 공상의 결과로, 남들 앞에서 그 동경하는 대상을 만나서 제멋대로 반말하며 남의 거짓 감정을 사는 것.

다섯, 어느 대상에게 연애를 고백하다가 거절을 당하고 얼마 지나지 않아 욕하는 것.

일일이 예를 들 수도 없지만, 이와 같은 종류의 인격이랄지(?)가 입으로만 하는 '연애'란 것은 비연애다. (이름을 적어 내라 해도 불가능할 바는 아니며, 혼자 고립된 나를 모든 추한 감정으로 욕한 것에 이를 갈고 있다.) 이상의 행동을 한 무리들은 도적질을 능히 할지언정 연애의 신성한 관문에는 못 서리라 한다.

염문艶文*을 탐독하는 신여성의 위기

매일신보 1924. 9. 28.

차차 여학생들 사이에서 문학에 관한 서적에 취미를 붙이게 된 것은 무엇보다도 그들의 마음의 살림을 위하여 치하할 일이라고 생각합니다. 문학과 꽃을 사랑할 줄 모르는 여성은 결코 온전한 사람이라고는 하지 못할 것이니 그러한 의미에 있어서 저는 얼마나 이 시대에 여성의 행복을 느끼는지 모르겠습니다. 사람은 누구나 다 예술가가 될 수 있다는 말도 있지만 더욱 부드럽고 고운 마음의 소유자인 소녀들에게는 얼마나 꽃다운 노래가 좁은 가슴에 넘쳐흐르겠습니까. 그리하여 짝을 찾던 외로운 노래는 항상 분별없는 어린 사람이 들려주는 저급한 연애 서적으로 인하여 무참

* 남녀 간의 연애나 정사에 관한 글

히도 피에 젖고 말게 되는 것이올시다.

한창 세상 물정을 깨달아가며 남녀 관계를 동경하고, 소녀 시대에 야비하고 저급한 서적을 탐독하다가 마침내 정신이 그 책 속에 팔려 들어가서 뜻도 하지 않던 실수를 하는 가엾은 여성은 어느 나라 어느 시대에든지 반드시 있는 것이나 문학에 눈떠가는 조선 여자계에서는 그 걱정이 가장 크다고 할 것이올시다. 그러함으로 서양 속담에도 '네가 가장 애독하는 소설이 있거든 그 작자를 만나보지 마라' 하는 명담名談이 오히려 남아 있으니 소설깨나 쓴다는 이들 중에는 이따금 인격을 갖추지 못한 이가 많아서 어리석고 고운 애독자들의 친애하는 순정에 흑칠을 하는 실제 사례도 많은 것이올시다. 그러므로 일반 가정에서는 아무쪼록 장성한 따님네들이 읽는 책을 감시하거나 또는 지정하여서 일정한 이성이 가슴에 자리를 잡기 전까지는 엄중한 감독을 하여서 폐해를 미리 막지 않으면 안 될 줄 압니다.

요사이 소녀들이 대개 문학가에게로 시집가기를 원하는 경향이 많은 만큼 감독자는 힘써 지도와 훈도薰陶를 하지 않으면 아니 되는 것이올시다. 재미있는 연애소설을 읽으면 반드시 그 책 속에 나오는 인물 중에서 자기도 만들고 애인도 만들어 끝없는 공상에 취해 있는 소녀들의 가슴은 이미 어지러워지기 시작한 것이니 실로 위험하기 짝이 없는 것이올시다. 그러나 서양 같으면 이 같은 감독은 항상 그 어머니 되는 이가 잘 알아서 친구와 같은 태도로써

"그 책은 읽지 않는 것이 좋다."

"이 책을 한번 읽어보려무나."

하며 순순한 가운데에 옳은 길로 인도도 하지요마는, 불행히 지금 우리 조선에 있어서는 어머니가 대개 딸보다 한층 더 배우지 못한 상태이니까 부형 되시는 이가 찬찬히 돌아보아 상당한 감독을 하지 아니하면 아니 될 줄로 압니다.

혹 어느 가정에서는 결단코 자녀에게는 소설류는 손에 들지 못하게 하나 그것은 너무나 남의 마음의 살림을 쓸쓸하게 하여서 그 반동으로 다시 무슨 현상을 일으킬지 모르는 것이니 아무쪼록 부형 되시는 이가 어느 시기까지는 적당한 서적을 골라서 읽히는 것이 좋을 줄로 압니다.

여인 단발에 대하여

『신민』 제9호 1926. 1.

지금 이러한 문제를 다시 또 들춰가지고 옳다 그르다 논한다는 것, 이런 내 행동의 얼마만큼은 나도 누구들과 같이 올곧지 못함을 아니 느낄 수 없습니다.

단발! 단발! 이는 많은 남자들이 벌써부터 실행하던 일이 아닙니까? 또 그네들이 퍽 편리하게 여기는 것 아닙니까? 또 제삼자인 우리의 눈에도 상투를 짜고 망건을 쓰고 갓을 쓴 것보다는 미관을 손상하는 정도가 낮은 일이 아닙니까?

그런 것을 여인들이 한다고 미인이라는 공연한 형용을 부쳐가지고 문젯거리를 삼는 것은 생기발발生氣潑潑한 새로운 사람들의 환경을 어리석게 만드는 셈입니다.

그러므로 '단발'은 여자에 있어서도 남자에 있는 것과 같이 서슴지 않고 실행하여도 무방할 것입니다. 또 단발을 한다고 여자의 미를 손실하는 것도 모름지기 없을 터인즉 사람의 형체에 따라서는 한 개인을 미화하는 화장化粧도 되겠습니다. 그러므로 단발을 하였다고 그 경우와 필요를 사회에서 특별히 논의해야 할 아무런 이유도 없겠습니다.

바로 말하면, 누구나 어느 때에 어떻게 하여서라도 단발하여 무방할 것입니다. 남녀를 묻지 말고! 마지막으로 충고하는 것은 비단 이 문제뿐 아니라 다른 문제에 있어서도 이 우주의 진화하는 도정에 있는 유기체로 알고 국가와 국가! 사회와 사회! 인생과 인생!을 다 이 우주의 법칙에 따라야 발전하는 것으로 이해하면, 새로운 일들에 대하여 이상한 불평도 없고 투기도 없는 인정교환人情交換이 오래지 않아 온 세계에 실행될 것이니 고정적인 모든 타산시비打算是非를 버리시라고 하는 것입니다.

대중없는 이야기

『생명의 과실』 1925
(1924년 9월 10일 정오 초고대로)

'무엇인지 노래라도 불러보고 싶다' 하는 마음이 몸져누워 앓는 베갯머리에 눈물을 지운다.

아아 골목 안의 개천물이 아이들 손에 방해를 받아, 그래도 졸졸 흐르던 것을

"요놈의 물 그래도 요리로 새는구나."

"돌멩이 집어 오너라."

"모래를 더 가져오너라."

"얼른— 얼른" 하고 떠들며 막는 바람에 갈 길이 지극히 멀건마는 가지를 못하는 듯하다.

나는 누워서 머리를 들지 못하는 몸이라 들창으로 내다

볼 수도 없고 그래도 졸졸 들리던 소리가 안 들리니 모—든 시간이 정지되고 침체된 듯싶다. 아아, 똑같이 정지되거나 침체되는 일이면 얼—포이쓰*의 거문고 소리같이 모—든 것을 정지시키고 싶다. 그러나 그 얼—포이쓰! 얼—포이쓰는 얼마나 서러웠을까. 지극히 오래고 먼— 옛날의 지난 이야기이지마는 어째서 그런 가인歌人에게 그런 파멸이 있었는가?

오오 지금도 은하에 걸린 얼—포이쓰의 거문고는 이따금씩 물속에서 소리를 낸다던가?

한 사람을 쫓는 한 줄기의 운명이 어째서, 그 한 사람과 같이 행복스러운 길을 걷고 싶지 않으랴마는 필경은 그렇지 못한 것을 보매 사람들은 그 생활의 위에 있는 큰 힘을 깨닫지 않을 수 없다. 사람들의 귀에는 지극히 크다고 하면 크고 지극히 작다고 하면 작은 심포—니가 들리지 않을까?! 또 그 모—든 것을 지휘하는 지휘 막대기 같은 것이 보이지 않을까? 아니 좀 큰 것은 좀 작은 것의 눈에는 보

* 오르페우스. 그리스신화에 나오는 시인 · 음악가.

이지 않을 것이다. 또 좀 큰 것도 작은 것을 모른다. 이 한恨 있는 모든 것들이 서로 모르는 동안에 그들의 시간은 옛날부터 지금까지 자꾸자꾸 거침없이 흘러내렸다. 하나 이 모—든 것의 위에 서는 그 큰 힘을 도저히 모르는 척 내버려둘 수는 없다.

큰 그 심포—니는 이 하늘과 땅과 또 모든 별들의 위에서, 모—든 것의 위에서 희열과 애수를 거두어 온 것이 아닐까. 마치 종자를 뿌렸다가 거두어 오듯이, 무슨 숙명적 약속이 있는 것 같다. 그러나 이 염려는 우리 사람들에게만 분배되어 있는 것은 아닐 듯하다. 그러므로 그 큰 힘의 지휘를 받는 심포—니가 상상보다 작은 것 같으면서 큰 것은 이 뜻이 작은 것에서부터 큰 것에게까지 전부 알려져 있어서인 듯도 하다.

어떤 연극 가운데에서인지 또는 소설 가운데에서인지 기억은 아주 몽롱하나 이런 귀한 말만을 기억해두었다.

'임금 하나가 땅에 떨어져도 온 우주와 같이 운동한다.'

이 말은 얼른 모—든 것의 생활 위에 각각의 직분이 나누어져 있다는 말과는 다르나, 생각하면 할수록 무슨 공명共鳴이 있지 않으면 안 될 듯이 생각된다. 그러나 절대로 그렇단 말은 못 할 것이다. 물론 어떤 말에든지 말하는 이의 인격과 시간이 따를 것이니까. 하지만 대개 말뿐으로 생각이 유통된다면 사람의 사회에 음모가 적어질 것 같다.

천문학자들이 화성火星에 무선 전신을 놓았다 한다. 그 연고는, 현미경으로 바라보기에 화성에는 사람들이 살리라고, 또 거진 이 지구와 같으리라고 추측된 것이다. 그러나 사람들이 화성을 알게 된 다음에 거기와 통행까지 하게 될 것 같으면 그때엔 어찌 될 것인가. 즉— 서로 이로울까? 해로울까? 아— 그것은 아무도 사람으로서는 예상하기 어려운 일일 것이다. 그러나 사람들은 그것을 예상치 못하면서 또 염려도 남겨놓고 자기네와 비슷한 듯한 곳에 통신을 한다. 그 결과는 사람들의 책임이 아니고 운명의 장난으로 돌린다. 이것은 아무 때나 아무렇지도 않은 의례한 일일 것이다. 그러나 모두가 다— 같은 의미에 지나지 않는 이 일이 종종 과실을 일으킨다.

수년 전에, 어떤 남자가 어떤 여자에게 엽서를 보냈다. 그 남자는 별로, 난봉꾼도 아니었고 그뿐 아니라 진리를 수색하는 학자라고도 할 만한 사람이었다. 그이가 우연히 어떤 여자와 친하게 되었었다. 그 둘의 사이는 겉으로 보기에 여자가 남자에게 더 친근하게 하는 듯하였다. 그러나 결국 그 남자가 여자에게 더 홀리었던지 대개 의사가 같을 것 같아서였는지 먼저 편지를 닷 발*만 하게 썼다. 그러나 그 결과는 도리어 험악했다. 여자는 곧 그 남자와 절교하였다. 대개 사람의 장단이 거의거의 같을 것 같고 의사가 융통할 듯하면서 도무지 같은 일이라고는 드물고 융통하는 일이라고는 드물다. 그럴 것 같으면 누구든지 제 생각은 묻어만 버리고 싶을 것이나 그렇게도 못하는 것이 사람들의 살림살이인 듯하다.

* 다섯 발. 두 팔을 양옆으로 벌려서 손끝에서 손끝까지를 한 발이라 한다.

어떤 부인이 이름을 감추시고 자기 부부간에 불화한 것을 넘어 근본적으로 정의가 없는 것을 잡지에 발표했다. 얼른 그 글을 볼 때 누구의 것이로구나 하는 생각이 없지 않아서 누구에게 물었더니 과연 그렇다는 말이었다. 나로서 그 글을 평론할 의무는 갖지 못하였으나, 그 정경을 생각할 때 무엇인지 그 글에 나타난 것과 또 글로 인하여 들여다보이는 내막이, 좀 더 달라야 할 것이라고 생각되었다. 그 글로 보면 반드시 화려한 것을 싫어하지도 않을 부인이 그 남편 K씨의 화려함과 그의 영어 선생이던 P씨의 수수함을 비교하고, 더군다나 우월한 애인까지 가지고 있다는 이에게 연애 심리가 발동되었다고 하였다. 또 이따금씩 매사에 비교된다고 하였다. 하나 내 상상은 K씨가 예스럽고 모진 대신 P씨는 상냥하고 화려하지 않았을까 한다. 그러나, 그 짧은 고백 가운데 나는 얼마나 큰 느낌을 얻었을까? 지금 내 머리가 병들어 누워서 책 보는 것을 금해야만 할 터이므로, 다시 그 잡지를 펴 들지는 못하매, 혹 오전誤傳*이요, 전혀 내 생각만이었는지 모르나 거기에는 이런 말이 있었다.

* 사실과 다르게 전함

'매사에 그이와 같이해서는 실수가 없었다.'

아아 얼마나 느낌 많은 말일까. 얼마나 지성스러운 거룩한 힘을 동경하는 말일까?

나로서는 이 부인이 구태여 하지 않으려면서도 하는 동경을 조금도 헐을 수는 없을 뿐 아니라 좀 더 그들의 운명이 친절해서 그들을 차라리 결합시켜주지 않았나 하고 감격함을 멈출 수 없다. 그와 같이, 과실이 없었던 사귐은 물론 한 사람 한 사람의 노력이겠지만 그래도 운명의 도움이 없으면 능하지 못할 듯하다. 그런데, 그 운명들은 어째서 그런 뒤집힘과 그릇됨을 달고 쓰게 실현했던고. 만일 P씨에게 애인이 없었거나, 그 부인의 사랑이 K씨에게 조금도 향해지지 않았던들 이런 비극은 일지 않았을 것이다. 하나 '매사에 그이와 같이해서는 과실이 없었고 또 의논…… 해서도?'(나는 분명히 기억 못 함)이라는 말은 사람들의, 사랑의 계명이 되어야 할, 아주 큰 발전성을 가졌다. 그렇다. 모르는 부인이여, 우리는, 서로 실수가 없는 사귐을 바란다. 만일 우리들의 벗 중에 한 사람이 우리에게 실수를 하게 하고 자기만 시치미를 떼고 잘난 체하면 우리는 그 자자손손에게까지 절교를 당부하자. 아— 사람들은, 사귈 때, 서로 명예를 존중해야 된다. 그 호의가, 사람을 영원케 할 것이다.

어떤 미련한 부랑자가, 한참 자라는 여자를 동정해서 그의 성장을 바라는 듯이 달콤한 말로 그 순직한 마음을 이끌어놓고, 사랑은 혼자만 해도 옳다고 쭝얼거리고 자기가 그를 사랑하지도 않으면서 여자의 마음만은 끌어놓으려 하였다. 하나 될 말인가. 사랑은 상대적이어야 될 것이다. 또 천국에서 받은 듯한, 아름다운 시간과 행동과 믿음이 없으면 가망이 없다. 세상에는 사랑과 비슷한 취정醉情이 흔하여도 그것이 남겨놓는 것은 무엇일까. 이상과 이상을 서로 달리 가진 남녀가 눈어림*으로 모였다가 헤어진 뒤에 아— 그 게으름, 그 뉘우침, 그 비방을 맛보지 않은 사람은 영원히 행복할 것이다.

사람이 어릴 때에는, 철이 없어, 감기 든 어린 몸으로 푹

* 눈으로 보아 헤아려보는 어림

신푹신한 비단보 요 위의 향내 나는 어머니의 무릎에서 나무로 아무렇게나 만든 수레를 타고 빙판 위를 돌고 싶어서 발버둥을 치던 일도 있다. 하나 다 자란 후에는 그런 일이 없을망정, 있다면 망령된 일이다. 우리는 어렸을 때, 자라면서 모든 일을 연습하고도 남았으므로 자란 뒤에는 힘써서 잘못이 없도록 하려 한다. 하나 사람이 그렇게만은 바라지 못하는 것은 전혀 우리의 힘으로만 할 수 없는 다른 큰 힘이 우리 위에서 지배하는 까닭이다.

아아, 과실이 없는 참된 때! 머리 위로 광명을 받는 듯한 거룩한 때! 나의 힘이 몇 백배로 늘어서 큰 의식을 가지게 될 때! 모든 사람의 사정이 측은히 알아지는 때는 어디로 오는 것일까. 우리는 이런 때를 다만 한 사람의 미소微笑와 한 찰나의 바늘 끝 같은 시선으로도 깨닫는다.

그러나, 그 짧은 동안에라도 착각으로 오는 것은 그르다. 이러한 성스러운 참된 때가, 사람들에게 내려오면 세상은 천국이 될 것이다.

아이들의 어머니들 말이

"얘들아 왜 개천을 막니. 그 물이 흐르지를 못하면 뜰에 물이 고인다."

"얘들아 돌채를 막지 마라. 우리 수채로 물이 도로 들어온다" 하고 말린 끝에 아이들은

"얘들아 그만두자. 우리 어머니가 걱정하신다."

"재 어머니께서도 걱정하신다" 하면서 돌멩이들을 이리저리 던지고 모래를 파 넘기는 듯하였다. 그러나 좀 이따가 아이들은 장난거리가 없어진 탓인지 다—들 흩어져서 골목 안이 동틀 때와 같이 조용해졌다.

복잡한 생각을 들입다 하던 내 머리는 펄펄 뛸 듯이 아팠다. 이때 마침 Y씨가 찾아왔다. 나는 오래 사귀어와서 흉허물 없는 사이이므로

"가세요, 이다음 낫거든 또 오시고" 해서 보냈다. 실로 약한 몸으로는 교제하기가 곤란하다. 더군다나 열렬한 사랑은 내 생명을 앗을 것이다. 그러나 참되고만 보면 얼마나 행복되랴?

내 생각에 도무지 사실이 아닌, 또 그 말을 코웃음 치는 '실연했다'는 말은 못된 지각없는 사람들이 나를 투기하는 말 같다. 사람이 누구든지 어떤 동기로든지 사귀었다가 그 교제가 점점 더러워질 때는 깨끗하게 해보고도 싶을 것이다. 더군다나 순직한 나를 속여서 구렁텅이에 넣으려다가 결국 저희들의 꾀에 저희가 빠져 애쓰는 것이면 항복을 받기 전에 생각 믿는 데까지는 구해내보고도 싶을 것이다. 그러나 그 동안에도 모든 거짓을 물리치고, 다만 홀로인 한 사람과 참되게 결합할 내 최고의 이상은 나에게 비겁한 행동을 하지 말라고 명령할 것이다. 사람들에게 각각 있을 최고의 이상을 나도 가졌다. 사람들도 가져야만 옳겠다.

아 — 그러한 사람들이여, 나는 연애를 해본 일이 없노라. 정말로 그렇다, 또 더군다나 자발적으로 해본 일이, 금년 여름까지 분명히 없었노라. 하나 불행한 운명을 타고 난 나는 끓는 듯한 학업에 앞설 결심과 목적을 가진 몸이면서 불행히 열다섯에 집이 패가해서 딸 같은 것에게는 외국 보낼 여지가 없어졌기 때문에, 나로서는 잘 속아 넘어질 성질을 지닌 것도 아니었건마는, 부랑자들의 수단에 조종되었을 뿐이었다. 다만 그뿐이었노라. 나는 이미 그런 것들과 관계를 아주 끊었으니, 또 그뿐일 것이다.

아— 비웃는 이들이여, 당신들이 나를 실연자라고 오래 비웃어왔다. 하나 불행히도 당신들은 불행한 운명을 타고난 한 처녀가, 불의의 능욕을 받고, 살기를 원해서, 썩은 기둥으로 기왓장을 받쳐온 것을 도무지 헤아려주지 못했다.

당신들은 나를 비웃기 전에 내 운명을 비웃어야 옳을 것이다. 나는 이 지경에 겨우 이르렀어도 힘 있는 대로 싸워왔노라.

아아 벗들이여, 더러운 시냇물이 졸졸 흐르는 그 동안에도 합해질 여러 냇길과 강과 바다와 가늘게 굵게, 짧게 길게, 머물렀다 급했다, 천천했다, 모든 일이 당연한 듯이 서로서로 합해도 지고 갈리워도 졌으리라. 그동안에는 너희들 중 한 여인의 말과 같이 깨끗하던 것이 더러워지고 더럽던 것이 깨끗해도 져서 내(川)가 되고 바다가 되고 또 짜지기도 했을 것이다.

3부

언니여 슬프지 않습니까

겨울날의 잡감

매일신보 1926. 12. 22.

지난 십일월 첫 번째 일요일에 나는 K씨의 응접실에 우두커니 앉아서 측면에 놓인 피아노의 키key를 다시 더듬으려고 하지도 않았다. 그리 넓지 않은 응접실에 그리 정돈되지 않은 차림차림을 나는 별로 감각 없이 여기저기 바라보던 것이다. 목적 없이 방황하던 내 시선이 선뜻 저편 테이블 위를 바라볼 때 조그만 유리병 속에 무슨 식물의 씨앗 같은 것이 많이 담겨 있다고 보았었다.

무엇인지 무심코 방황하던 내 눈이 무엇을 알고 싶은 작은 호기심에 끌려 그것을 곧 가까이에서 보고 싶어 하였다. 나는 교의交椅*에서 일어나 두어 걸음 저편으로 가서 그것을

* 걸터앉는 데 쓰는 기구

내 손에 들고 보았다. 아아 해바라기씨, 참 그것이었다. 어디에다 심을 것인가? 나는 거듭 의심하면서 두어 알 입에 넣고 까버렸다.

어느 동무의 집에서 내가 '연애'를 경험치 못한 소설가라고 놀림을 받을 때 나는 말하기를 "서울 북악산 위에서인지 강서 무한산 위에서인지 어릴 때 기억이니까 불분명하지만 한번 산꼭대기 위에 엿장수가 엿목판을 벌이고 섰다고 보았었습니다. 그러나 급기야에 그 산마루 위로 올라가 보니까 순전한 바위입디다. 나는 그와 같이 무엇을 그렇다고 동경을 무척 하였지마는 나중에 보면은 아닙디다" 하고 고적한 웃음을 웃었다.

일하기 싫고 공부하기 싫은 마음이 연일 계속되어 안 갈 곳 갈 곳을 휘뚜루마뚜루 다니노라니 본래 게으른 마음이라! 급히 돌아올 염려도 잊고 누구의 집에 앉았더니 밤눈이 왔었다. 하얀 눈이 뜰을 덮을 때 주인은 내게 시간이 늦는 것을 주의하였다. 나는 뜰로 나오면서 '가다가 눈에 미끄러져서 사진을 박았으면' 하고 입은 다물면서 속으로 '내 꼴

이 어떤가 보게……' 하고 말을 삼켰다. 물론 내 눈에 눈물이 흘렀다.

×× 언니에게

『여자계』 제3호 1918. 9.

××언니— 우리가 농홍색의 비단을 편 듯한 산길을 배회할 때에는 염려치 않았던 그 한겨울이 찬 바람의 사자使者를 어느덧 보내어 어여쁘던 단풍잎들을 방향도 없이 날려 흩어버리고 지루하게 머물러 쌀쌀스럽게도 센 수염을 풀풀 날리는 요즈음.

뫼시고 안녕히 지내시며 변함없이 사도絲道*에 열심이시나이까. 오래오래 안부를 여쭙지 못하여 죄송만만罪悚萬萬이외다. 이 동생〔弟〕은 지난가을에 말씀드린 바와 같이 시월 초순에 ○촌댁으로 이거移居하였나이다. 그곳에 간 이튿날부터는 속발束髮**을 내리고 이 척尺의 백옥면으로 머리를

* 실을 잣는 일

** 가지런히 하여 흐트러지지 않게 잡아 묶은 머리

쐈었습니다. 그리고 굵다란 목면 치마 적삼을 입고 밤이 새면 새벽부터 저물녘까지 상경골이라는 산비탈을 두루 돌아다니며 밤을 줍고, 날이 떨어지면 밤들기 전까지 벌레 많은 면화 고르기에 골몰하였사오며 심한 피로를 느낄 때는 촌경치를 써도 보고 서투른 '스케치'도 하여, 할 수 있는 대로는 염증이 못 생기도록 노력한 공로가 나타난 것인지, 제가 근년에 고심하였으나 만나지 못했던 쾌락을 일생 처음으로 맛보는 조의조식粗衣粗食* 중에서 오히려 만났었나이다.

그러나 그 쾌락한 제 생활의 날들은 밤나무에 가지가 휘어지도록 달렸던 열매가 무르녹아 거의 떨어질 때까지의 짧은 생명이었습니다. 저는 십일월 십 일경에는 도로 고통의 감회가 흉금胸襟⁑을 무찔러 사람들의 눈을 피하여 산골짜기로 가서는 마음껏 흐느꼈나이다. 그리고 자아를 혁명시켜주시도록 간절한 기도로 일과를 삼았사오며 그것을 그친 이후로는 신의 사명에 순종하길 서약하기도 여러 번이었습니다. 그 후 저는 부지불식중에 바늘 쥐기와 조 이삭 자르기와 콩 따기도 게을리하지 않으며 재차 촌 생활의 재

* 너절한 옷과 검소한 음식

⁑ 가슴 속 품은 생각

미로움을 깨달아 영구히 ○촌의 사람이 되어볼까 하는 일시적 생각도 없지 않았습니다. 그리고 저는 ○촌 경치를 사랑하는 중에도 특별히 ○○학교 산송림山松林에서 석양을 바라볼 때마다 몸도 마음도 고요하여서 잡념을 망각하고 오히려 심장을 두근대다가 그 경치에 대한 찬미의 감상을 온전히 하지 못할까 하며 견고히 흉금을 눌렀나이다. 간혹 불유쾌한 감회가 다시 저를 핍박할 때는 집 후원의 벼락 맞아 베어버린 나무 밑동에(작년 여름에 언니와 같이 걷고 만지며 놀던 나무뿌리 위에) 서서 대자연으로 보면 작은 조알의 얼마의 얼마도 안 되는 몸이 이러히 다대多大한 번민을 그칠 줄 모르는고 하며 스스로 인생의 무상한 감상도 일으켰나이다.

××언니, 번민과 고통이 저를 영락零落의 심연으로 이끌어 영원히 자아를 멸망시킬 근본의 망념인지 자아를 향상시키려는 기초의 사려인지는 스스로 판단키 어렵사오나, 언니에게도 그때 여름에 그 벼락 맞은 나무가 불쌍하다고 말씀드렸지오마는 아무 때에 생각하여도 그 나무 불쌍한

생각은 이 동생의 마음에 깊이 인상되어 떠나지 않는 것이 사실이외다. 그러나 그 인상이 때로 일종의 말할 수 없는 공포를 주는 것도 어디서든지 피할 수 없는, 벗어날 수 없는 사실이외다.

×× 언니, 이 동생의 어릴 적 기억으로는 그 나무가 벼락 맞기 전 우리 촌댁 산중에 몇 천만 그루의 종종種種의 수목보다도 제일 곧고 가장 보기 좋게 가지를 뻗었던 참나무였습니다. ×× 언니, 그 나무가 어찌하여 '벼락'이라는 심지 사나운 것의 침습을 피할 수 있었사오리까. 저는 결코 물리적으로 연구하지 않으려나이다.

혹은 그들에게도 자연의 형벌이 있음이리까. 어떤 옳고 그름으로 그같이 좋던 나무를 영구히 형벌하려고 뿌리까지 말려서 아주 소생할 희망이 없도록 함이리까?

××언니, 이 동생은 참으로 그 나무가 소생하지 못할 것을 알고 그 무성하였던 옛적을 돌이켜 추억할 때 소리쳐 흐느끼며, 온몸을 전율하였나이다.

때는 정히 십일월 그믐이외다. 기러기 떼의 동비東飛도 거의 그쳐 한랭한 기후가 사람의 피부를 찌르는 듯 어려운 시절이외다. 그곳에서는 식물의 저장도 벌써 마치고 가택의 수리도 다 되어 다듬잇돌 소리가 겨울옷을 준비하는 중일 때에 제가 있는 ○촌댁에서는 이미 고희의 조모님께서 물레를 부— 부— 돌리시는 것을 보고 ○○으로 귀가하였다가 일전에야 겨우 오랜 소망의 길에 올랐습니다. 금번에 저의 결심은, 꼭 성공하는 날에야 언니를 만나 뵈려는 것이나이다. 그때까지 무엇이 저를 막거나 해할지라도 제가 저를 위하는 의무는 짧은 만남을 허락하는 것이 결단코 아니라 하나이다. 이상 몇 줄로 만추晩秋의 초동初冬의 심동深冬*의 소식을 아울러 알려드리오며 다만 내내 안녕하심을 기도하나이다.

△○□에서 언니의 동생

* 늦가을과 초겨울과 한겨울

계통 없는 소식의 일절

『생명의 과실』 1925
(1924년 8월 10일 정오 초고대로)

상해에 계시다는 소군 언니!

우리들의 소녀시대에 음악가이시던 언니가…… 딸 같은 어린 시인이라던 소녀를 기억하신다고? ……머리는 검고 숱 많고 키는 늘씬하고 얼굴이 동글고 몹시 통통하던, 눈꺼풀이 얇고 콧날이 섰던……. 언니! 언니! 벌써 팔구 년 전 일입니다. 저는 남포南浦* 가서 언니를 찾았지요. 하나 거기는 이미 안 계십디다. 그리고 당신의 귀여운 딸이 홀로 어머니 없는 집에 남아서 어미 잃은 병아리 모양으로 뱅뱅 돌아다닙디다. 그때는 모든 것이 눈물겹던 시대인고로 그 어린아이의 정경을 생각하고는 남몰래 소리 없이 울었지요.

* 평안남도 서남부에 있는 항구도시

칠월 장마 전으로 기억합니다만 좀 더 전이 아니었나 하고 머리를 비틀어봅니다. 빗방울이 오다가다 뿌리기 시작할 때 그동안 상해에 가 있었더라는 S씨가 찾아와서 언니 소식을 전합디다. 상해에서 가정을 이루시고 여가에 음악을 연구하신다고. 그런데 저더러 리—드*를 지어 보내라신다고, 작곡하실 터이라고. 듣기를 다한 저는 휘— 한숨을 내뿜었습니다. 두 어깨가 급히 무거워진 탓으로 좁은 호흡기가 압축을 당해서 호흡이 잠깐 곤란했던 모양입니다. 그때 그것이 다만 제 대답이었습니다. 휘 한숨 쉰 것이.

만일 다른 사람이 그렇게 부탁한다면 단번에 "네까짓 것더러 내 리—드를 처치하라고 줘" 하고 농담을 사양치 않았을 제가 전일에 존경하던 언니가 좀 어렵기는 한 모양입니다. 하나 무엇을 노래하리까, 무엇을 슬퍼하고 무엇을 저주한답니까. 또 누구를 향해서……? 저는 마음속에 모—든 애수를 불러보았지요. 전후의 환희와 포만과 기갈의 고통도 다 불러보았지요. 하나 내 혼은 어느 구름장에 올라가 숨었는지요. 또 내 그 아픈 동경은 어느 여울턱에서 아득거

* 리트Lied. 독일 예술가곡인 리트의 가사는 낭만주의 서정시에서 가져왔다.

리는지요. 내 모든 회상과 상상이 아련히 맛없는 말과 말틈에, 농담 같은 환영 속에 아득일 뿐이었습니다.

그러던 것을 장마 진 동안의 어느 저녁 때 저는 어린애같이 찌르레기 소리와 어린 매미 소리가 비슷하다고, 골목 밖 백양나무에서 실—실 들려오는 풋소리를 귀 기울여 듣노라니까 또다시 S씨가 와서 어서 상해 보낼 리—드를 달라고 재촉합디다. 그때 나는 "응?" 소리를 내고 "저기 들리는 저 소리가 매미 소리야 찌르레기 소리야" 물었습니다. 친구는 기가 막혀서 눈을 똥그랗게 뜨고,

"찌르레기는 아니구, 그건 다 뭐요. 어서 리—드나 내놓아요. 그러기만 하면 책이 잘 팔릴걸. 두 분이 다 이름 있는 이니까" 하고 구상도 하기 전에 책 팔릴 때를 말합디다. 나는 못 들은 체하고,

"얼마나 애처롭도록 어린 소리인고. 그 음성으로 그 주인을 찾지 못하도록 어리니 그래도 저 소리를 내기까지는 생활의 몇 계단을 넘어섰을 것이다. 굼벵이 시절에서 찌르레기라든지, 혹은 어린 매미라든지에 이르기까지는 남모르

는 노력이 있었을 것이고 거기 따르는 비애도 없지 않았을 것이다. 그러므로 부르는 노래일까? 향상向上은 향상이지만 찌르레기로 찌르레기 소리를 분명히 내게 되고 매미로 매미의 소리를 분명히 내게 되려면 각각 자기의 선명한 생활이 필요할 것이다. 무엇이든지 생활에는 향상이 있을 것이고 거기 따라서 노래가 우러난다. 그러므로 일이 년 전의 포만을 기억하고 아직도 기갈을 모르는 내게는 미약한 향상이 있었을지 모르지만 생활다운 생활의 계단을 넘어선 것이 없었고 그로 인하여 노래는 우러나올 리가 없었다. 다만 나는 희미하게 생각한다.

주려서 그리는 이에게만 생활다운 생활이 있을 것이라고, 일이 년의 중독이 이같이 오래가거든, 더 부요한 이들의 생활이 얼마나 그 이면에 하품이 나도록 권태를 일으킬지는 다시 물을 문구가 없다. 다시 생활다운 생활을 갖지 못하게 되었던 나는 자연히 지난 생활을 엿볼 마음이 일어난다.

어떤 묘령의 여성 피아니스트가 어떤 묘령의 여성 시인

과 동거할 때 여성 피아니스트는 여성 시인에게 날마다 날마다 쇼판과, 리스트와, 슈-만과, 또 슈벨트, 빠하, 뿌람스, 멘델존, 베-도벤*의 곡조들을 아는 대로 번갈아 쳐서 들려주다가 나중에 준비한 곡이 끊기자 여성 시인이 말은 없이

"그치라 벗이여! 그 곡조는 대단히 숙련되어 들리나 첫날 감명만 못해서 두통을 일으키니" 하는 듯한 손짓을 했다. 거기서 피아니스트는 아름다운 눈에 눈물을 머금고

"아— 우리들이 매일 이같이 밤에는 밤잠 안 자고 둘이 속살거리고 낮에는 공부실에 마주 앉아서 또 생각을 같이 하니 거기서 어느 틈에 벗을 새로이 기쁘게 할 준비가 있었겠습니까" 하고 한탄했다. 그로부터 그다음에도 이와 같은 일이 종종 있게 되었었다. 첫째 여성 시인은 사랑하는 피아니스트의 피아노 위에 새로이 꽂아줄 꽃을 고르기가 크게 곤란해졌다. 그는 꽃 파는 집이란 꽃 파는 집은 다— 돌아다녀도 매일같이 새로운 꽃을 고를 수는 없었다. 피아니스트의 연습과 시인의 창작은 유명무실하게 되었었다. 그러자 두 사랑하던 사람은 서로 애인을 위로할 재산이 말라서

* 쇼팽과, 리스트와, 슈만과, 또 슈베르트, 바흐, 브람스, 멘델스존, 베토벤

상의한 결과 별거하고 드문드문 만나서 낭독을 하고 독주獨奏를 해 들려주게 되었었다.

이보다 다른 이야기가 또 하나 있다. 뚱뚱한 부인과 훌쭉한 여자가 아홉 단段* 치 밭을 나란히 걸어 올라갈 때 머리털을 늘어뜨려 기른 화가가 지나다가 뚱뚱한 부인을 보고

"얼마나 호기심을 많이 가진 여자일까. 필경 새 두 마리가 지나도 부러움 없이는 안 볼걸" 하고 다시 홀쭉한 여자에게

"그 아름다운 눈 어디까지 시선을 높였노. 그 눈 밑에는 귀한 것이 없겠다. 그 나른한 체격은 왜 좀 더 풍부하지 못한가" 하고 쭝얼거렸다. 거기서 뚱뚱한 부인이 일어日語를 몰라서 말귀를 못 알아들었는지

"나를 다— 미인이래요. 요새는 또 뚱뚱한 것이 아름답다고 한대요" 하고 홀쭉한 여자에게 자랑했다.

"아니, 그야 표준을 지을 수가 있겠습니까. 개인의 각각 취미일 테니까. 하지만 당신이 아름다워 보이는 것은 거짓이

* 땅 넓이의 단위

아니요" 하였다. 거기서 또 뚱뚱한 부인은 화제를 고쳐

"이것 보세요. ○○씨와 당신은 어젯밤에 ○○ 하였지요. 그래서 오늘 당신의 얼굴이 그렇게 창백하지요" 하고 속삭였다. 이때 홀쭉한 여자는 웃으며

"우리는 사랑이 아니었었어요. 처음 만날 때도 외로운 내가 인정에 이끌렸던 편이었고 아무 이해가 있다든지 공명이 있었던 것은 아니고 ○○씨의 누님과 ○○씨가 나를 얼굴 이쁜 여자로 고른 것이 원인이니까" 하고 호소했다.

"그러면 당신은 전날 말씀과 같이 고향으로 가시겠습니다그려. ○○씨를 두고…… 나는 ○○씨 같은 이가 좋아요. 아— 그이는 얼마나 아름다운 남자일까요" 하고 발부리를 내려다보았다. 홀쭉한 여자는 하늘의 푸른 깊이를 꿰뚫어 보며 "하지만" 하고 머뭇거리다가

"○○씨는 지금 나와 같이 있지만 ○○에 주렸으니까 한편으로 당신 같은 이를 좋게 볼지 몰라요. 대개는 ○○씨 같은 여자를 칭찬합디다. 내 생각에 그런 이……를 소개할 수 있었더라면 좋았겠어요. 내가 두 달 전부터 고향으로 간다

고 했지만 ○○씨는 나와 매일같이 싸움만 하려고 내 귀한 것을 모르고 심사를 건드리니까 도무지 같이 있을 수는 없어요. 그렇게 나를 위해 모든 희생을 아끼지 않았다고 매일 같이 강도講道*를 하는 이를 두고 내가 얼른 떠날 수도 없고 또 나는 어디 가서 여비도 달라고 할 데가 없으니까……? 하지만 아무도 기다려주지 않는 고향에 나는 얼마나 돌아가고 싶을까요. 거기 가서 내가 살려면 문전걸식門前乞食하는 수밖에 없겠지만 그래도 고향의 땅을 밟아보고 싶어요. 금방 그 흙냄새를 맡고 그 자리에 푹 쓰러져 죽는대도!" 하고 흑흑 흐느꼈다. 그 후에 한 달이 지나서 홀쭉한 여자는 ○○씨와 소위 민첩한 감정을 '내가 더 많이 가졌노라'는 듯이 오 리 오 푼의 계책을 날마다 서로 쓰다가 헤어져서 그리운 고향에 돌아왔었다. 돌아온 그는 날마다 ○○씨의 소식을 들었다. 그는 몇 마디의 불쌍한 정경을 써서 답장을 하기도 하다가 그만 그쳤다. 그다음에 또 ○○씨는 뚱뚱한 부인의 말을 써서

"그것이 매일같이 찾아온다"고 귀찮은 듯이 써 보냈으므

* 도를 강의하거나 설명함

로 그는 위로하는 듯이

"무슨 사건이 생겨서 물으러 오는 것 아닙니까? 나는 아버지가 허락지 않으시니까 당신을 다시는 만날 수 없지만" 써 보냈다. 그 후에, 고향에 간 홀쭉한 여자는 ○○씨가 그 뚱뚱한 부인과 함께해 홀쭉한 여자와 삼각관계를 지어서 홀쭉한 여자를 고향으로 돌려보내고 같이 산다는 소문을 들었다. 그 소문은 마침 그가 ○○씨의 '지옥의 맨 밑을 헤매인다'는 소식을 읽다가 찢어버린 며칠 후였다. 그러므로 훌쭉한 그는 쓰게 웃었다. 거기서 이 두서넛의 생활을 비교하자면 홀쭉한 여자는 내면으로 승리라면 승리라고 할 수 있을지 모르겠지만 그가 웃는 만큼 포만이 있었다. 그러나 그 두 사람은 생활의 계단을 넘어서서 어떤 날은 저주하고 어떤 날은 호소할 곳을 몰랐겠지만 이미 자기를 사랑하지 않는 여자와 이별하고 자기를 몹시 사랑하는 여자와 만나서 명예를 얻고자 생활상 수단을 농락했다. 거기에서 나온 노래가 수단으로 변하였는지는 모르나 확실히 굼벵이에서 매미가 되는 정도의 생활의 향상이 있었을 것이다. 그러나 홀쭉한, 지극히 높은 곳만 처음부터 바라보던 그에게는 향상은 없었고 오직 사랑하지 않은 남녀가 동거했다는 가책이 남았었다.

이 두 이야기를 생각하면 반드시 주리는 편에만 생활이 있고 계단을 넘어설 여유가 있었다. 그러나 사람은 그 능력 범위 밖의 것을 자기의 이성으로 막아가면서 속으로 가만히 숨겨서 동경하니까 굳센 이성의 힘에 눌려서 깊은 깊은 사랑이 그 표현을 못 얻을 때, 차라리 참으로 미워서 눈을 감고 낯을 돌리는 것과 무엇이 다르랴. 옳다 — 그런 생활 속에 노래가 생긴다. 설움이 일어난다. 그때는 높은 곳을 향해서 노래를 하지……. 하나 이것은 역시 좀 마성을 가졌다. 그보다 어떤 절대로 외롭던 혼이 사람이 다니지 않는 적막한 곳을 배회하다가 우연히 큰 힘을 가진 한 혼을 만나서 저문 사막에 달빛을 비추듯이 외로운 정경에 뜨거운 정情이 등불을 켰다면 거기에는 무슨 질투나 음모가 있을 것은 아니고 사상과 사상이 융합한 완전한 세계가 이루어진다. 그

때는 참노래가 나올 것이지? 거기서 잔치를 베풀듯이 여러 사람을 기껍게 할 정조情調*가 사람들이 사는 땅덩어리와 사회와 또 국가에까지 향해서 사랑을 선언하고 단결을 맹세한다. 그것이 노래가 아닐까. 만일 다만 두 사람이나 혼자서 수군거리면 그것은 쏙삭⁑이다. 소리를 높여 크게 부르는 것은 귀 가진 청중을 무시할 수 없는 탓이다. 그러므로 노래—구가謳歌*는 사랑하는 혼이 생명을 살릴 진리를 찾은 것이다. 그 안에서 높고 먼 곳을 바라는 혼은 비굴하기를 꺼리며 교만하기를 싫어한다. 그래서 노래를 불러 자기네의 잔치에 사람들을 인도한다" 하고 이같이 생각하면서 여전히 찌르레기 소리를 듣는 체하고 있었습니다. 친구는 그만 재미가 없어져서 성난 듯이 "무엇을 그렇게 생각해요" 하고 가버렸습니다.

하나 언니여, 노래는 아직도 입 밖에 내서 부를 것이 나오지 않습니다. 아아 제 속에는 이상理想에 불타는 사람들과 같이하자는 애착이 밀어密語가 되어 새 광명을 얻은 듯이 장차 자라날 희망을 가지고 웃음 웃었던 것입니다. 이 두문

* 감각에 따라 일어나는 감정

⁑ 남이 알아듣지 못하도록 나지막한 목소리로 재빠르게 이야기하는 소리 또는 그 모양

* 행복한 처지나 기쁨 따위를 거리낌 없이 나타내는 소리

불출하는 한 칸 방 안에는 남모르는 자신과 길한 행복이 숨었습니다. 그것은 새 진리가 저를 살린 탓입니다.

아침에는 동창으로 저녁에는 서창으로 불같은 여름 볕이 너들이 나들이 번갈아 쬐이되 가을 하늘같이 맑은 서늘함이 있습니다.

하나 아무도 찾아오는 사람은 이 고열에 없습니다. 또 아무도 친절히 해주지도 않습니다. 그렇지만 사랑이 모—든 것을 낫게 한다, 그러자면 이성이 빈틈없이 방비防備를 해서 남의 방해를 받을 리도 없고 또 음모와 시기가 쓸데없어집니다.

하나 언니여 슬프지 않습니까. 사랑은 지극히 드물게 있습니다. 사람의 인격 완성과 같이 드물게 있습니다. 아득거리고 변하고 속이는 것이 사랑이 아님은 당연합니다.

참사랑을 얻으면 노래하지요. 그때까지 밀어입니다. 지금 생각만은 파초 잎같이 서늘하고 무성합니다. 하지만 장차 두 영혼이 융합한 이후에 땅 위를 걷는 노래는 바다같이 짜고 피같이 붉으리다. 사랑이, 사랑이 민족의 설움을 안

볼 리가 있겠습니까. 그때에는 내 노래에 바람 같은 저주, 호수 같은 위로, 구름 같은 우수憂愁, 대양大洋 같은 노염怒炎을 붙여서 곡조를 읊어줍소. 그러면 그때까지 쓰지요!

거울 앞 독백〔鏡面獨語〕

동아일보 1925. 3. 9.

—어머니의 영전에

"거친 들에 바람결 세차서
　미리 떨어진 잎들 이리저리 구르나"

수많은 썩은 낙엽들이 모진 바람 부는 대로 구를 때는 한없는 표류漂流, 동요動搖, 불안감을 그 얼굴에서 가릴 수 없었으나 마침내 불모의 절벽 틈에서 굳세게 버티느니보다 참으로 기원하는 상태로 수난하는 상태로 한 발짝 두 발짝 올라 옮기며 몇 번인가는 돌 위에 발린 먼지를 믿고 고생하는 이끼라도 무슨 붙잡아줄 힘이 없느냐고 아득거릴 때 차라리 몇 천 척 벼랑 아래 떨어져,

"무절조無節操하다*!"

"황량하다!"

"무디다!"

"들떴다!"

하는 각자의 마음을 투입投入한 그 자신들의 대명사 속에, 썩은 나뭇잎같이 그 영구한 자멸 속에 속절없이 흙으로 돌아갈 수밖에 없었다.

그러나 위아래로 치밀고 내리미는 바람이 결국 생명을 가진 자로 하여금 기어오르던 절벽에서 움켜잡은 돌부리를 놓을 수 없게 함이다. 그러나 여기서 더 한 발짝을 옮겨 오를 수 없이 위험함은 사실이다. 위에서 휩쓸어 내리는 바람이 온— 북극의 불모의 빙판을 휩쓸어다가 한 약한 등산자의 얼굴에 부딪힐 때 이 일순간인가 또는 다음 순간인가 하는 후에는 까맣게 낮은 벼랑 아래 떨어져 뭇입**의 난잡한 말과 비웃음 가운데 그 몸을 던져 영구한 자멸 속에 악마의 함정문陷井門을 굴러야만 할 것 같다. 그러나 그 함정문을 구를 동안의 고통과 수치야말로 구르는 썩은 잎이 아니었

* 절개와 지조가 없다.

** 여러 사람의 입

던 이상에, 생명의 실낱이 붙어서 흑흑 흐느끼는 이상에야 차라리 벼랑 틈의 '니오베'*의 탄식을 바랄지언정 감히 붙들었던 그 힘을 애착을 어찌 내놓으랴. 이런 때 사람은 신앙의 힘의 아늑함을 못 잊을 것이다. 거기는 비록 기적 같은 구원은 오지 않을지라도, 부드럽게 갈아매어져 떨어지지 않으려 하는 수난자의 자중자안自重自安이 있지 않으랴. 그러한 고난이 넘어간 뒤에 봄이 오면 벼랑 끝이라 한들 그 찬 바람이 다시야 불어오랴. 앞을 못 보게 하던 차가운 대기가 때가 지난 후에도 보는 눈을 어이하랴.

하물며 썩은 잎이 아니고 벼랑이 아닌 틈에 사는 사람의 앞길이 아무리 험하다 한들 마음먹기에 달렸거늘 무단히 멸망할 것이랴. 누구든지 생각지 말 것이다, 멸망하여지는 아픔이 살아나가려는 고난보다는 쉬울 것이라고.

"떠났던 마음 돌아오실 때를
두벌 꽃 피는 그때일까 해서"

* 자식을 모두 잃은 슬픔으로 돌이 되었다는 그리스신화의 인물

미덥지 못한 그 걸음걸이로 머리를 풀어헤친 모양이 울 줄도 웃을 줄도 모를 것 같은 얼굴로 무엇을 향해 걸어나갈 때 그 모양에는 피로가 없고 고통이 없으리라고는 보이지 않는다.

생각하면 그런 여자에게도 봄은 있었을 것이다.

봉오리 진 꽃도 보였을 것이다. 그러나 너무 달뜬 탓에 너무 곱던 탓에 때도 아니었으련만 일찍이 일찍이 휘어졌을지 아직 붉은 그림자를 감출 수 없는 그 얼굴로 한정 없는 북쪽 길, 거기야 무슨 안락이 있으랴 평화가 있으랴마는 허둥지둥 가는 모양이 뜻 아닌 길에 들어 흥미 없는 수색搜索*을 시작한 것 같다. 때 못 얻은 동경에 길을 가던 그림자는 가기는 가련마는 무엇으로 부질없이 앞서가는 그 생의 빔을 채우랴. 지나는 자취라고는 꽃빛같이 붉은 단풍잎. 지나는 발자취마다 미리 뿌린다 한들, 비록 그 아픈 마음에 마지막 피를 흘려 물들여 뿌린다 한들.

"얼음 진 늪에 눈보라 스치면

* 더듬어 찾음

헤매어들던 마음 이리저리 깔려"

이 사무친 한을 어찌 면하랴. 사람의 계급에 '귀하지 않은' 사람이 생겨나서 구차하게 살아가노라니, 만물의 영장이라는 그 사람들의 일원으로 어떤 때는 썩은 낙엽에 그 생명이 비기어지며 어떤 때는 짚 꺼풀에 비기어지며 어떤 때는 생사가 임의롭지 못한 꽃에도 비기어졌었으며 어떤 때는 새장 속의 새에도 비기어졌으리라. 그러나 사람이야 어찌 참으랴. 남의 생활의식에 그 몸을 맡기고 남의 감정에 그 웃음을 던짐이 오로지 흥미 없는 일이 아니랴.

젊은 수색자搜索者야, 해녀海女야, 네 길을 간다 할지라도 갈수록 남의 길일 것이며 남아 보이는 것이 학대일 뿐이니 부질없는 등산을 멈추고 네 몸 위에 값없이 던져지던 남의 생활의식 남의 감정을 전부 뽑아내어 던져라! 그것이 네 피를 빨았으며 네 고기를 저몄으며 네 꽃을 값도 없이 시들게 했을 것이다. 창백한 속 썩은 등산자야, 네 앞길이 갈수록 험할 뿐이다. 원수의 것을 전부 내놓아라!!

잘 가거라

—1927년아

동아일보 1927. 12. 31.

잘 가거라!

영원으로—

미로와 같은 사람들 사이에서 방황하는 심정으로…… 부질없는 밀회를 일삼던 벗아!

여기는 거듭 못 이를 급류의 분수령 위, 너와 내가 다시 못 만날 구슬픈 별리別離의 때—

이 한 고개 넘기가 무섭지. 남북으로 우리를 가를 사나운 물결이 "잘 가라"는 단 한마디의 석별조차 허락지 않고 너와 나를 산 채로 나누어 몰아가리라.

오오 1927년아.

짓궂은 장난꾸러기 얌전한 취정꾼아.

'31일'이라는 영결일 당일에 이르기 전,

"잘 가거라 잘 가거라."

거듭거듭 탄식과 느낌으로 부탁한다.

헛된 이름과 그릇된 평안에서의 늦꿈을 깨기 어려운 무엇과 같이 너는 나를 겨우겨우 연민으로 이끌어왔었다.

그러나 얼마나 저주된 정사情事였느냐? 없는 정애情愛로 네가 나에게 부채의 연민을 강요했기 때문에 너는 나를 그만 여지없이 해체할 뻔도 하였었다.

세워지면서부터 무너질 운명을 타고났던, 종족의 끝에 멸망할 최후의 신전과 같이 부채를 잔뜩 진 나의 최후의 애상주의야, 잘 가거라!

그러나 너는 오랫동안 꼭 하나의 그림자와 같이 고독하던 누구의 청춘을 몰아가지는 않겠느냐? 너의 앞에 몰려갈 것이 정녕 나의 청춘이 아니겠느냐? 외로운 생명 참혹한 현실 앞에 머리를 푹 수그리던 겁쟁이 애상주의야, 잘 가거라!

헛된 명성의 앞잡이, 배반과 저주로 충실한 노예들의 지속 없는 뒷걸음질을 살기殺氣가 등등한 미소로 고요히 내려다보다가 차마 못 참을 듯이 얼굴을 돌리고 달음질해버리던 불건강한 애상주의야, 일 년간 나와 네가 함께한 내 실책을 반만 짊어지고 잘 가거라!!

그러면 나는 네가 가버리고 곧 올 1928년을 위하여 대단한 사실을 이르리라.

1927년 1월 1일

밤 가운데

"아이, 좀 살려주어요" 하고 숨이 턱에 닿아서 간신히 덧문을 열어젖히며

"어멈" 천신만고를 다하여 살길을 구하였다.

부정하지 못할 생에 대한 애착이 배나 늘어서 유명계幽冥界*를 줄달음질하여 달아나던 혼이 되돌아선 것이었다. 방 안에는 석탄 연기가 자옥하였었다.

"아씨 왜 그러시우" 하고 어멈은 눈을 비비며 일어나서, 식은땀으로 목욕을 하고 다시 쓰러지던 나를 일으키며 내 손발을 주물러주었었다.

* 죽어서 가는 괴로운 세계

“잠이 모자라서 석탄 연기가 방 안으로 꼬이는 것도 모르고 잠이 들었었던 것이야. 동치미 국물이 있으면 정신을 차리련마는, 아이, 저 벽장 안의 레몬을 꺼내서 즙을 짜주어요” 하고 땀을 씻으며 돌아누웠었다. 차마 죽을 수가 없던 것이었다.

1927년,

너야말로 내 마음속 아무도 쉽사리 이르지 못할 곳까지 속 깊이 상처를 내었다.

불의의 불행과 또 고달픔과 그로 인한 부주의는 고통을 유인하여 왔었다.

오오 1월 1일로부터 이날까지 똑같은 사실이 중복되어 너와 나는 퍽 의가 좋지 못하였었다. 그러나 내 어머니의 ‘착한 딸’인 나는 내 불행을 네 탓이라고 전부 책임 지우지는 결코 않는다. 다만 씻지 못할 피 아픈 상처를 마음속 깊이 감추고 비밀의 쇠를 영원히 잠가버린다.

그러면 나로 하여금

셋방 문턱을 외마디 소리로 짚고 허덕허덕 일어서다가

쓰러지게 하던 1927년아, 잘 가거라.

숭배자의 방 안에서 음흉한 욕설을 함부로 듣고 내 머리를 수그리게 만들었던 1927년아, 잘 가거라.

숭배자의 방문턱에서 기진하여 쓰러지는 추태를 안 보이려고 악을 악을 쓰게 하던 1927년아, 잘 가거라.

1927년아 부디부디 너 가기는 잘 가더라도 결코 내 앞에 다시 돌아오지는 못할 것을 잘 알아라.

너같이 썩은 침체가 많은 세월(흐름)은 사람의 생기를 잃게 할지언정 신선하게는 못할 줄을 자성自省하여라.

잘 가거라 잘 가거라.

그러나 결코 다시 돌아올 것은 아니다. 끝까지 너를 응시하며 보내는 내 뜻일랑은 오해하지를 말아라!

그러면 1928년은 내게 행복을 가져오리라.

4부

이 정경을 오래오래 잃지 않으리라

향수

『애인의 선물』 1929 추정
(1925년 12월 작)

눈이 번쩍 뜨였을 때 깊은 망각의 궁전에서 추방된 내 자신의 허전함을 느꼈다.

'온몸이 으스스 떨리는 것을 간신히 참겠으니 아마 새벽 세 시나 네 시 동안이리라' 짐작하였다.

설핏 밖으로 귀를 기울였을 때 고요한 낙숫물 소리와도 같은 단속적斷續的* 물방울 소리를 들었다.

그 세차던 바람이 잦아들었구나! 하고 생각될 때 내 마음속 깊이에 심하던 풍랑이 잠잔 것을 의식하였다. 아아 바다의 진주잡이에게는 기쁜 때가 아닐까? 하고 폭신한 기쁜 일들이 차차 연상된다.

* 끊어졌다 이어졌다 하는

마침 오전 네 시를 알려왔다. 나는 내 자신이 일곱 시간 동안을 꿈 하나 안 보고 잔 것을 기뻐하였다. 정신이 맑아질수록 건강한 욕망이 무럭무럭 일어나는 것을 깨달았다.

어젯밤에 감취酣醉*하여 읽던 시구가 어느 동안에 반복 암송되었던 듯이 분명히 머리에 떠올랐다……. 서반아西班牙⁑ 시인 루벤 다리-오(1867~1916)의 『추억』 가운데 있는 「말카리-다」*의 한 소절이…….

너의 웃음 너의 향기

너의 불평 너의 비애

다— 내 것이었었다

우리들의 꽃이던 것을

말카리—다 커—젤Margarita Gautier은

내 자신이 저절로 읊은 시같이 맛있게 외울 동안에 그 시 전편이 구슬꿰미같이 아름답게 생각난다.

* 달게 취함

⁑ 에스파냐의 음역어

* 니카라과 시인 루벤 다리오의 시 제목 '마르가리타'

말카리—다 커—젤

너는 얼마나

이 이름에 애닳았던 것이냐

나의 마음속 깊이에

너의 그때 신비를 머금었던, 것

같은 얼굴을

결단코 다시는 돌아오지 않은

기꺼움으로 찬 저 몽롱한

봄날 저녁의 일……

둘이서 같이 식사를 한

그 처음 겸 나중이 된

만났던 일……

말카리—다 커—젤

너는 얼마나

이 이름에 애닯았던 것이냐

아름다운 샴판주酒* —독毒을 마시고

새파랗게 죽어진 네 빨간 입술이여

너의 손가락은

오오 말카리—다의 손같이

하얗게 되어 있었다

내가 시是라고 일러도 너는 부否라고

아무리

내가 시라고 일러도 너는 부라고

어떻게

내가 너를 사랑하였던가

알고 있지 않았느냐

* 샴페인

아아 아름다운 샴판주—독을 마시고

새파랗게 죽어진 네 입술이여

우리들의 역사의 꽃이던 것을

말카리—다 커—젤은

그런데 너는

울면서 웃으면서

너의 키스

너의 눈물

다— 내 입술에 남아 있다

너의 웃음 너의 향기

너의 불평 너의 비애

다— 내 것이었었다

우리들의 역사의 꽃이던 것을

말카리—다 커—젤은

그닐그닐하도록

기꺼움으로 찬

그날 저녁이 그런 슬픈 밤이 될 줄이야

사랑으로 그득 찬

한 말카리—다로서 너를 바랐었다

다만 그뿐이었었다

질투—죽음

너는 참으로

나를 사랑하여주었느냐

말카리—다의 아름다움을

너에게 구하지는 않았다

너는 나를 버리었다

그닐그닐하도록

기꺼움으로 찬

그날 저녁이 그런 슬픈 밤이 될 줄이야

이런 반가운 시를 읽으면서 밤들도록 동전 오 푼을 바른 손길로 뒤섞던 어제저녁 일이 애달팠다. 나는 바람 센 달 밝은 밤에 H 언니를 찾아가고 싶었다. 오륙 년 남모르는 난고難苦에 점점 빠져가는 내 머리 터럭을 흩날리며 청량리행 전차 위에 올라 안고 싶었다. 십오야 밝은 달이 사그라져 희미하고 바람이 세찰 때 내 손길 위에서 올랐다 내렸다 하는 동전 오 푼 소리가 내 정감을 물결 쳐서 나는 두 번 세 번 일어났다 앉았다 하며 청량리 갈 생각을 거듭해보았다. 그러나 남의 집 단란을 못 깨뜨리겠다고 생각하였다. 음산히 울어 흔들리는 문풍지, 쨍쨍 울리는 동전 오 푼. 누구의 오백 원이 반드시 이런 때 이와 같이 귀하였었겠느냐?

오냐 나의 마음속에 남모르는 심정아, 이 귀한 생활을 오래오래 저버리지 말자. 그리고 이 출발점에서 영원을 향하여 전진하는 신성한 길을 눈물로 적시지 말자! 나는 이 정경을 오래오래 잃지 않으리라.

× × × ×

어느덧 낙숫물 듣던 소리가 바삭바삭 극히 고요한 소리로 변했다. '아아 이렇게 추우니까 눈이 오나보다' 하는 쓸쓸한 마음에 문을 열었다. 과연 훤히 밝아오는 하늘 아래 눈이 와서 녹던 그 위로 싸락눈이 쏟아졌다.

'아아 이 겨울을 어찌할까' 하고 겁이 나서 나는 부르짖었다. 그리고 부친이 염려하실 것을 생각하였다. 그러나 나는 부친의 집에 다시 못 돌아갈 것이라고 내 자신에게 타일렀다.

'추방의 아이야, 유랑하는 길손아, 육신의 평안을 위하여 영혼의 아픔을 참겠느냐'고.

눈 온 아침에 창문을 열어젖히고 허옇게 왔다가 상처와 같이 군데군데 녹는 뜰 안 정경을 바라보면서, 마음 가는 곳에 육신이 따라가고 생각하는 대로 형상을 똑바로 나타

낼 수가 있는가? 하였다.

불과 몇 분의 시간 동안을 전후하여 눈이 오던 것을 녹이다가 또다시 눈이 오다가 다시 비가 오는 이 날의 천후天候*를 생각하더라도 시간에 따라 변화하는 환경의 사정으로 여러 가지의 현상이 이뤄진다.

그리하여 여기에 이르러 이 추위를 못 참겠다고 부친의 집을 염두에 올리는 나의 감정도 필경 환경에 부대끼는 때문이라고 자성自省된다.

부친의 집에는 엄동을 능가하는 온정이 있다. 또 그리운 형제가 있다. 그러나 무엇이 방해를 한다. 그것은 내 시간이다. 아아 나는 반드시 내 시간의 지배 아래 내 행동을 좌우한다. 나는 지금쯤 집에 돌아갈 수 없다. 그러나 이 난경難境에 처하여 무럭무럭 일어나는 내 향수를 참기 어려움이야. 어느 명랑한 인정이 아늑히 이 생명 위에 마음을 같이하랴.

그러므로 그때 그곳 유산계급에서 생장한 젊은 여자가 자기의 지식을 요구하여, 여기 지금까지 십 년간 엄격한 아버지의 명령을 위반한 것에 따른 간난艱難한 고통이 있다.

* 기온, 비, 눈, 바람 따위의 대기 상태

그러나 무엇을 알게 되었으랴. 다만 모르는 범위가 점점 넓어질 뿐이었다. 이 막연한 범위를 넓히자면 무엇이 어느 곳에선들 부족하랴? 평양이고 서울이고 간에? 무엇이 평양보다 서울이 나으랴? 물 끓듯 서로 뒤엉키는 인연이 더 큰 분열을 일으키겠느냐? 황당한 문구와 문구, 애매한(?) 개념과 개념, 임시적 관념과 관념! 또 그 외에 홍등리紅燈里에 성색聲色* 거친 피아니시모, 강단의 부조화적 폴테⁑, 또 그리고 경관警官 앞에서 머뭇머뭇 심정을 표백하지 못하는 강사의 안색! 음정 더듬는 거짓 창가수唱歌手의 가래침 걸린 희미한 소리와 뻔뻔스러운 모양을 멋없이 놀려대는 박수 소리, 가사와 조율이 조화를 잃은 헛소리! 빼어난 소리를 내고도 불가해의 표정을 박수 대신으로 청중의 안색에서 읽는 고독한 피아니스트! 무엇이 너에게 적확한 위로를 베풀었으랴? 홀로 드높은 내부 생활의 냉정한 감정을 나타내는 것과 얼마간 조심성 없는 혼잡한 취미를 드러내는 것이 한 청자로 앉은 네게 무엇을 깨우쳐주었느냐? 이 양 음악가를 염려할 때 전자에 있어서는 외로운 자기의 생활을 드높이기만 하

* 음악과 여색女色을 아울러 이르는 말

⁑ 포르테

는 것이고 후자에 있어서는 청자들의 손까지 이끌고 수평선 밑까지, 또 이녕泥濘*의 끝까지 혼돈한 가운데로만 자기도 잘못하고 남도 잘못하도록 이끌어 아득이게 함이 아니랴?

사람은 모든 가협성可脇性을 가졌다. 성인聖人도 되는 가능성을 가졌고 악인도 될 가능성도 가졌고 또 그 중간 모든 가능성을 가졌다. 하늘 높은 끝까지 바다 깊은 밑까지 사람들이 알아서 이용도 하고 응용도 할 모든 가능성이 있다. 또 땅속 맨 밑까지 탐구할 모든 가능성이 있다. 그러나 백 년을 못 채우는 사람의 수명과 구 척에도 미치지 못하는 체형으로 한 사람이 모든 가능성을 실현하려 함은 아득히 먼 장래에는 혹 몰라도 지금은 도무지 불가능임을 알겠다. 그러나 사람의 막연한 공상이야말로 이 어느 가능성에나 마음대로 미치지 못할 일이 아니겠다. 그러나 이것은 온전히 공상적임을 알아야 한다.

우주 드넓은 곳에 내 집을 못다 삼고 사람마다 인연을 못다 맺은, 체량體量과 연령을 한정한 인생은 반드시 온 우주적 대이상大理想 밑에, 전 민족적 이상 아래, 전 인류의 일원

* 땅이 질어서 질퍽질퍽하게 된 곳

으로, 민족의 일분자一分子로, 시대를 따라 제 자신 위에 한 이상을 건설할 것이다.

여기에 이르러 한 개인의 이상은 개성에 따라서 음악가도 좋다, 문학가도 좋다, 미술가도 좋다, 정치가도 좋다, 그 외에 종교가도 철학가도 좋다. 그리고 모든 취미도 필요하다. 그러나 제각기 한 과목을 깊이 연구하여 각기 인생을 심화할 필요가 있다. 그리하여 대중을 대할 때 가장 깊이 연구한 한 과목을 아는 자로서 대하여야 할 것이다. 그러므로 우리는 우리가 한 오—게스투라*를 조직할 때 각기 맡은 음부音符⁑만을 잘 연주해주기를 간절히 바란다. 여기서 찬란휘황한 발전이 시작된다. 모든 별들 중에 지구가 조직적으로—모든 나라들 중에 조선이 가장 유리하게 조직적으로 발전하기를 바란다.

× × × ×

생각하면 생각할수록 향수를 앓는 내 자신을 의식하겠

* 오케스트라

⁑ 악보에서, 음의 장단과 고저를 나타내는 기호

다. 마음의 고향에나 육신의 고향에나. 그러나 이 일을 어찌 하랴. 나는 이 두 곳에 다 못 돌아갈 형편이라 이 추운 날 새벽에 향수에 걸린 병인病人은 객지에서 돌아갈 곳을 잃었다. 참으로 생활을 그치고도 싶다. 그러나 이 굳센 애착! 엿줄같이 늘어나가는 동경! 실로 억제할 바 없구나를 생각한다.

내게 어느 친구가 있어서 생사生死를 말하기를, 한 오라기 실낱같아 한 끝이 생生이면 한 끝은 사死라고 일렀었다. 그것이 참말이면 사람은 그 자신의 관을 짜는 것 외에 무엇이 필요할 것이냐. 그렇다! 관을 짠다고 생각해보자. 근 삼십 년, 이십여 년을 나는 내 관을 짜놓았다. 그러나 나는 그것을 완성하지 못하였다. 그러므로 나는 생生에 애착이 큰 만큼 사死에 대한 아무런 이해도 가지지 못하였다. 다만 흙에 돌아가는 것이다. 나라는 하나의 형체가 영원을 향하여 분쇄되어 분자로 원자로 점점 갈라져서 토양이 되어 생물을 양성하는 성분이 되리라 할 뿐이다. 또 그리고 거기 돌아가서 더 편안할 것을 생각지 못한다. 죽음은 내게 하나의 타격이 아닐 수 없다. 나는 빚을 많이 진 사람이다. 내 생전에 반드시 다 갚아볼 결심이 없지 않다. 그러한 나는 대환원大還元을 아직 꿈꿀 수 없다. 오직 소강小康*을 얻을 생의 마지막 지점에 있는 고향이 그리울 뿐이다.

* 소란이나 혼란 따위가 그치고 조금 잠잠함

시필試筆

동아일보 1928. 1. 20.

차라리 아무 생각 아무 염려가 아니라 할 만큼 다만 비장한 흥분에 젖어 텅 빈 방 유리창에 어린, 열대지방의 숲 같이 무성한 빙화氷華*를 황홀히 바라보다가 그는

"차디찬 겨울의 따뜻한 꿈이로구나" 하고 처량한 눈에 눈물이 핑 돌았다.

오늘이 벌써 십이 일. 그에게는 한층 더 쓸쓸하던 새해 심지도 이제는 완연히 풀려가건마는

"남의 친분을 받을 곳이 없는 것과 꼭 같이 내 친분도 남에게 향하지 말자"고 생각하였던 그의 심사는 그가 다시 붓대를 들기 어렵게 하였었다.

* 얼음의 들쭉날쭉한 모양

“차디찬 겨울의 따뜻한 꿈!” 하고 마음속으로 거듭거듭 외건마는 입 밖으로 노래가 되어 나오지 못할 때 그것은 바로 한숨으로 변한다.

세상에 알리지도 않은 굳센 이상이 마음속에만 갇혀 있을 때 그것은 밤마다 잠들어서만 볼 수 있는 ‘꿈’이 된다.

단 한 구절의 말이 입속에서 나올 수 없을 때에 그것은 남모르게 답답한 한숨이다.

사람의 일생을 통하여 중대한 이상이 실현될 수 없을 때에 그것은 남이 보지 못하는 내 꿈 가운데에서만 화려하여 인생일대를 멸망시키는 불면증이 된다.

밤새도록 불면증에 시달리고 아침에 일어나서 또 한숨 쉴 때 그가 젊다 한들 또 총명하다 한들 무엇이 남을 것이랴. 그렇게 민망스러운 한숨과 또한 불면증은 무엇에서 왔는지 그 아닌 남은 알 길이 없다.

유리창의 빙화를 보고 눈물지으며 천장을 우러러 한숨을 쉴 때 그만 그의 입에서는 우연한 노래가 나온다.

오직 동경을 아는 이만이

내가 무엇을 괴로워하는지 아신다

온갖 기꺼움으로부터

호올로 돌리어져서

나 하늘을 우러러본다

저편을

그의 음악학교 시절에 성악과 동무들에게 들어 배웠던 일절일 것이다. 괴테의 창자를 끊는 듯한 '미이논'의 노래* 이다. 그 노래가 그의 과거와 생장을 전부는 말하지 못할지라도 말할 수 없이 애처로운 동경을 품은 것과 또 참혹할 만큼 고적한 경우에 있는 것을 역력히 말한다.

그는 무엇이 찢어지는 듯한 한숨을 내쉬며 노래를 하다 그치고야 말았다.

남쪽을 향한 유리창에 햇빛이 비치자 그 아침답던 빙화의 모양이 녹으며 미닫이에 걸린 허름한 옷을 적시고, 꿈이 사라진 곳에 한숨이 날 듯이 얇은 김이 어리어 있어 글씨를

* 괴테의 소설 『빌헬름 마이스터』를 토대로 작곡한 가곡 「미뇽의 노래」

쓸 만큼 알맞아 보인다.

그는 무엇에게 하소연하듯이 처량한 눈으로 천장을 우러러 호소하였다.

“이 세상에 물 한 방울이라도 그저 사라지는 바가 없다. 하물며 한 사람의 일생을 통한 간절한 이상이 왜 실현되지 않으랴? 우주의 찬 꿈이 열대熱帶에 실현되며 더운 꿈이 한대寒帶에 실현되는 것같이 한 사람의 지극한 열성을 다한 이상이 그 자신의 일생 가운데 어디서든지 실현되고야 말 것은 너무 당연한 일이다. 나는 잘못 생각하였었다. 역시 나는 내 이상을 실현하자고 끊임없이 붓을 잡을 것이다. 아아 참 인생의 아득함이야 악마로다” 하며 그는 창백한 손가락으로 물끄러미 유리창에 쓰기를

“너희들 아무리 곤란하더라도 희망하여라! 보앙카레*”

하고 굵고 튼튼히 하였다.

겨울날 맑은 빛이 빛나듯이 그의 눈에는 청신淸新한 빛이 빛났다.

* 프랑스의 수학자이자 물리학자인 앙리 푸앵카레(1854~1912)

귀향

매일신보 1936. 10. 7~13.

1

오후 열한 시경 하관下關*행 삼등 차창에 졸고 있던 외로운 여자가 내 자신이었던 것입니다.

동경東京*서 육 년 동안 낙화생落花生*과 사탕砂糖, 콩 같은 것을 팔아서 간신히 수학修學을 계속하던 나는 그날도 무표정한 얼굴로 골몰히 돌아다니다가 언뜻 유학생 몇 분의 도움으로 제법 기차표를 손에 쥐고 기차 안에 앉았던 것입니다.

고향으로! 수학을 위하여 동경에 갔다가 십 분의 일이나 될까 말까 하게 하고 돌아오는 길이라도 영혼과 육신이 온

* 시모노세키
* 도쿄
* 땅콩

전하여 칠팔 년 동안의 지루하던 객지에서의 고생을 면하고 고향을 향하여 돌아간다는 것은 당연히 감사할 일일 것입니다.

기차 안에 올라서 머나먼 조선을 향하여 다시 못 올 길을 돌아가더라도 뒤에 거리낌이라고는 조금도 없을 것이지만 동경 있을 때 이따금 고향으로 편지를 띄워 막연하던 일가친척의 일들이 거듭 어찌 되었을까 하는 조바심을 일으켜 빗발이 부딪치던 유리창에 흔들리는 대로 무거운 머리를 기대었으나 쉽게 눈이 감기지는 않았습니다. 그중에 P씨의 일은 차마 못 잊을 일이었습니다. 신문에서나 영화에서 보던 얼굴들은 막론하고 내 일생의 잡념 없던 양심 속에 깊이 인상된 P씨라는 인물은 내 전 생명의 호흡과 맥박과 혈조血潮*와 같이 의연히 의식될 뿐입니다. 그리 길지도 않은 일생을 통하여 못 잊어지는 그 피 아픈 경험을 갖자고 태어나서 공부하고 일하고 고난당하던 일들이 뜨거운 눈물을 하염없이 자아내고야 맙니다.

* 얼굴에 도는 핏기

2

혼자인 몸으로 돌아가는 기차 안에서 할 수 있는 대로 내 주위를 보살펴 깨끗하도록 하였습니다. 나 자신 동경에서 장사하느라고 다니던 때의 옷을 그대로 입었지만 매일같이 피곤하던 다리가 좀 쉬어지는 것만은 다행이었습니다.

—그도 내가 고난당하던 때의 거리를 자동차로 쏘다니던 한 사람이지.

—무엇을 의미한 상봉이었던 것인고. 이 아픈 기억을 지니게 하려고, 설마 사람으로서야.

—동물이라도 견디기 어려울 피 아픔을 주고 숨은 그는 약한 어른이었을까.

하는 무궁무진한 자문자답이 향할 곳 모르는 회포였습니다.

기차 안에서 이따금 부르는 콧노래가 어린이들의 친절을 모았습니다.

바람 잔 저녁 때 하관역 앞 욕탕에서 피곤한 몸을 비누질하던 나는 바닷물같이 파아란 욕탕 물에 몸을 담그고 심신을 고요히 가다듬었습니다.

—내일 이른 아침에는 부산에— 하는 욕망으로 피곤한 몸을 쉬게 할 줄 모르고 배에 실었습니다.

바다에서의 달 밝은 하룻밤은 어머니의 품속같이 고요하였습니다.

드디어 경성역에 이르렀습니다.

경성의 생활이라는 것이 궁핍 그것인 것을 차에서 내린 그 저녁부터 알았습니다. 몇 날 안 되어 이러한 글의 초안을 잡았습니다.

서신書信 1

지금은 더운 여름날 오후

긴 하룻날을 울어 지납니다.

칠팔 년 만에 제이第二 고향에 들러서

쓸쓸한 눈물이 앞을 가리웁니다.

길 가운데 인사하는 사람 드물고
지기知己의 낙백落魄을 귓결에 듣습니다.

내 지금 님을 만나면 울며 이를 것을
지난날에 부끄러워하던 일들도
지금 고생 가운데 한갓 기쁨을 지닌 것도
모두 님을 향한 순정일 뿐입니다.

우리 지난날에 성당에 모여
온갖 행복을 느끼지 않았습니까?

내가 님이 가진 생활을 버리고 왔으리까.
한 모양인 두 생활에서 하나가 자유 되면
또 하나도 자유로 되리라는
믿음의 힘이 나를 돕더이다.

하나님이 기뻐하신 우리의 사랑을

사람들이 빼앗으려 하지 않았습니까?

나는 작은 나라의 한 시골 여자,

어릴 때부터 외로운 길을 걸어서

님이 계시던 곳까지 이르렀던 것입니다.

내 평생의 목적도 이루어졌던 것입니다.

세상은 모르는 우리의 설움과 기쁨이

무리의 투기 속에서 기절하지 않았습니까.

내가 그리 비겁하였으리까.

참패한 이들의 투기가 무서웠던 것입니다.

그들을 모아 주운 조각조각이라고

지혜 없는 학구學究라고 이름하더이다.

이 하염없는 속삭임을 내 자신이라도 눈물 없이는 못 읽을 것이올시다.

그 후 며칠을 병상에서 신음하였습니다.

병이라기보다는 차라리 자주색 동글납작한 빈대들 때문에 더럽고 가려워서 잠을 못 잔 노곤勞困이라고 하여야 할 것이지요.

3

급기야 취직 문제에 막다랐습니다.

P씨, 내가 취직되는 곳에 당신도 오실 수 있겠습니까?

—결국 내 불행이 나를 더 한층 당신에게로 향하게 하는 것이올시다. P씨 당신이 전날에 내게 고난을 면하게 하시듯이 지금은 나도 당신에게 마음뿐이라도 안전을 드릴 수 있는 것만 같습니다. 내가 어릴 때부터 믿던바 서로 뜻을 합한 사람끼리 만나면 용기가 백배하여질까 하는 것이올시다.

쾌청한 여름날 오전에 명치정明治町*성당에서 일곱 시 반 미사를 마치고 어릴 때 추억이 아직 남아 있는 혜화동성당을 찾아가느라고 버스 안에서 사면을 돌아보았으나 아무도

* 일제강점기 명동의 이름

안다고 하는 사람이 없고 십 년 만에 경성에 내린 나에게 많은 혼돈을 줄 뿐이었습니다. 천도교당을 천주교당이라고 가리키는 자, 경운동을 혜화동이라고 하는 사람, 사천교당을 어림쳐 천주당이라고 가리키는 순찰, 세상은 가지각색이었으나, 어느덧 혜화동 동구洞口에 다시 이르자 지붕에 십자를 단 성당으로 쏜살같이 달음질하여 들어갔습니다. 거기서 십자를 긋고 동양미를 갖추신 마리아상 앞에 새로운 마음으로 무릎을 꿇었던 것이올시다. 그이의 상은 어딘지 내 고향 평양 여자들이 흔히 가질 수 있는 모습을 갖추셔서 감개무량하기도 하였습니다.

비로소 온갖 미로에 방황하는 이들의 천당 길을 찾는 진실됨과 용맹스러움을 깨달았나이다.

참된 종교는 공교公教요, 공교라 함은 천주 즉 신이 사람의 영혼을 구원하기 위하여 가리키신 바이니 천주는 맨 먼저 인류에게 이 교教를 가르치시고 다음에 '모세'에게 이것을 나타내시고 다시 '예수크리스도'*로서 이 교를 완전히 하셨다는 것이올시다. 인생은 일상 과거에 사는 것이 아니

* 예수그리스도

요, 미래를 향하여 현재의 생활을 다 경영하는 것이 아니겠습니까. 우리 한 사람 한 사람이 늘 한 집안 한 사회를 위하여 생활하는 것은 먼저 자기 자신부터 한 집안과 또 한 사회와 불순함이 없고 불화가 없도록 싸우는 것이므로, 세상 끝나는 날을 예수께서 재판하러 오실 것이 아니겠습니까.

그러므로 자기 자신의 반성으로부터 나온 한 가정의 평화와 한 사회의 활동은 세인世人의 비평을 전제로 한다고 하여도 이것이 과언이리까?

4

내가 경성을 떠난 지 팔 년 동안에 이른바 빈약하다는 우리 문단에도 다소 새로운 글을 찾아볼 수 있게 된 듯합니다.

어슴푸레하게 춥던 이른 봄날 오후에 동경 신보정神保町* 어느 조선 식당에서 식사를 하노라니까 『신인문학』⁑ 삼월호가 언뜻 눈에 띄었었습니다.

* 도쿄 진보쵸
⁑ 1934년 청조사에서 시인이자 수필가인 노자영이 창간한 종합 문예잡지

그중에 파예촌巴藝村이라는 이의 「모정慕情」이라는 시에서 새로운 정조를 찾았습니다.

읽는 사람도 없는 애수의 음부音符를
먼 유성流星에 보내고 있는 것이다

이 두 구절에서 시간적 정조가 어긋나는 것을 발견하였으나 이 시는 전체로 아름답다 생각하였습니다. 그 한 '페이지' 뒤에 김북원金北原 씨의 시*에서도 아름다운 시의 정조를 발견할 수 있었습니다.

모정

박모薄暮의 사구砂丘에 흰 신호기信號旗가 날린다
누에나비의 깃같이 털면서
말 없는 말을 바람에 의뢰하고 있다
읽는 사람도 없는 애수의 음부를

* 『신인문학』 1936년 3월호에 김북원은 「내일」이라는 시를 발표했다.

먼 유성에 보내고 있는 것이다

나는 눈앞의 알범*을 덮었다
석조夕潮의 운음韻音에 젖어 나는
사구砂丘의 회백灰白한 부조浮彫—
나는 고독이라고 적은
일기一基의 도표道標였다

이 두 분의 시는 시상이 정리되어 시인이 무엇을 쓰려고 의식하던 것을 분명히 표현한 것으로 볼 수 있겠습니다.

이 위 몇 시와는 정반대의 의미로 김우철金友哲 씨의 「울고 싶은 마음」이니, 김조규金朝奎 씨의 「다시 북北으로」이니 등 무엇을 향하여 도전하는지 혼란스러운 시도 이전에 우리가 가지지 못했던 시이지마는 영리한 사람으로서는 기피할 고풍古風이 아닐까 합니다.

* 앨범

5

그동안 수토불복水土不服*으로 많은 고난을 당하면서 신촌 음악강습에 다녔었습니다. 늦잠을 자는 날이면 등성이를 올라가서 비탈길을 지나 산을 넘느라고 고생하였습니다.

아무튼 십 년 만에 음부를 읽어보는 것만은 사실이었습니다. 단 열흘 동안 궂은비는 들입다 쏟아지고 화목함조차 없었던 열흘 동안을 간신히 지났습니다.

더운 날 묵은 원고 처치로 한성도서주식회사⁑에 갔다가 우연히 『가톨릭소년』이라는 잡지를 손에 들고 좋은 동요를 발견하였습니다.

> 누나야 꽃이 좋니 새가 좋니
> 재재대는 물소리 귀엽지 않니?

하는 끝 구절은 실감이 우러나는 음부라 생각하였습니다.

초가을의 고요한 하룻밤을 이슥하도록 펜을 들고 앉아

* 물이나 풍토가 몸에 맞지 않아 위장이 나빠짐

⁑ 1920년 서울에 설립되었던 출판사. 김명순의 첫 창작집인 『생명의 과실』(1925)이 이곳에서 간행되었다.

서, 조선 문학은 진보되리라고 기뻐합니다.

마지막으로 제 시도 세상에 물어보는 것이니 자기의 의사를 존중하는 만큼 남의 의사도 존중히 여기는 태도로 자기나 남이나 다 같이 전심전력으로 공부하였을 표준 아래 비판해보시기를 바라는 것입니다.

석공의 노래*

1

서울의 산은 봉우리마다 바위다
풍상 겪은 고도를 둘러싼 산이 화강암이다
부스러지는 바위틈에는 솔이 자라 있고
모래 모인 골짜기에는 샘물이 흐른다
굳고 단단한 화강암에 폭탄을 던지면
붕붕 탕탕 산이 울며 바위가 부서진다
채석장에 그득 쌓은 화강석을

* 이 제목의 시는 1934년 11월 16일 동아일보에 처음 발표되었고, 이후 개고를 거쳐 1938년 8월 『삼천리』에 다시 발표되었다. 여기 본문에 소개된 것은 1938년 작과 거의 같다.

비석으로 가릴 때 손님이 많은 중

하루는 젊은 여인이 와서

머뭇머뭇

그이 남편의 비석을 부탁하고 갔다

높은 곳은 낮추고 낮은 곳은 높이어

뚝딱뚝딱 그이의 남편의 비석이라고—

비명碑銘은 우리 낭군 십육 세로서

물이 변해 돌이 되는 줄도 모르고

사후를 헤아릴 법조차 모르면서

천지는 변하여도 부부애는 불변이라고

후원 송백나무에 새기셨던 것을

똑딱똑딱 그이의 아름다운 마음씨여—

평면 평면 직선 직선

거울같이 다듬던 화강석 위에는

그이의 슬픈 비명을 새기는 대신

아름다운 그 여인의 자태가 새겨졌다

아아 주문 없는 일을 어찌하리

똑딱똑딱 시대의 번민이여—

옛날 신라의 석공은

불국사의 석가탑을 쌓을 때

먼 길을 찾아온 누이도 안 만나고

절 동구 밖 십 리나 떨어진 못가에

탑의 영자影子가 못에 비치도록 세웠더란다

딱딱똑딱 영지影池에 무영탑이라고 일러라

2

일개 학도인 그이가 이르기를

—프르특특한 돌은 너무 빛이 없으니

우리 집 정원 고석古石으로 다시 지읍시다—

영채 있는 눈으로 먼 곳을 가리키며 갔다

이리하여 내 죄도 감추었지마는

그야말로 후원의 고석이 운치 있으리라

북악산 기슭이 후원인 엄엄한 고관古館은

그이의 심상치 않은 유서由緖를 말하였다

화려한 오월의 상록수 그늘

청자색 바위 사이 황금색 후원 길에

정밀한 꽃밭으로 나를 인도하는 그는

올맺은 보조步調로 미치는 세상도 바로 하리라

까치의 둥지 짓는 거동을 바라본다

하늘 창공에 기껏 부르짖는 종달새를 듣자

시방 오 일 날 대낮 화창한 동산에

젊은 석공인 내가 청춘을 느끼고 있다

아아 부스러지는 듯한 바위 위에 내가 섰다

그는 청태青苔 덮인 고석을 가리킬 뿐이다

늦은 사면斜面을 바위가 부서져

모래가 구른다 내 한숨이

바위 밑까지 사무치리라

—필경 내가 생기기 전부터 저렇게—

그이가 온건히 이야기한다

—저 돌을 실어다가 가운데 붉은 채색으로

우리 집 산소를 빛내주세요—

칠 세로부터 부도婦道를 닦아오던 조선 여자

자라지도 않아서 칠악七惡을 징계받았지요

숙녀 이군二君을 섬기지 말 것이라고

추상秋霜 같은 가풍에는 종순從順만이 부도婦道이니

절조節操 높은 사부士夫의 가문을 욕 안 보이려고

서약의 검劍을 가슴에 안던 것입니다

나 열두 살에 눈을 감고

가마 타고 시집 갔더라오

연지 곤지로 단장한 얼굴을

눈물로 적시면서 친정을 떠났지요

그 화관이야말로 무거웁디다

그 칭찬이 더 무서웁디다.

나 열여섯에 처녀 과부 되었지요

죄인의 베옷을 입고 지팡이 짚고

상여 뒤를 걸어서 걸어서

멀리멀리 무덤까지 갔었지요

그리고

산 각시의 상대역이던 이름뿐인 낭군을

깊이깊이 묻어버리었지요

3

반반이 바르게 똑바르게

그이의 서방님의 비석이라고 새기었다

어떤 때는 함머*로 내 손을 찍고

어떤 때는 내 손가락을 쪼면서

* 해머

아아 아리따운 그 자태 때문에

똑딱똑딱 그 어머니의 속곱이었더란다

고석에서 녹태를 벗기어갈수록

홍백의 교묘한 색배色配를 본다

채색의 농담濃淡을 갈라서 생과 사로 양단兩斷한다

아아 애석한 석비石碑와 상쾌한 삭상朔像,

똑딱똑딱 일거양득이란다,

석비는 그이가 기뻐하였다

삭상은 사람들이 칭찬하였다

그이는 순진한 학도가 되었다

그리고 세상 풍파에 변하다

나는 종일토록 일개 석공

똑딱똑딱 청춘의 무덤이여

생활의 기억

매일신보 1936. 11. 19~21.

1

어리던 때 유모의 등에서 어머니의 무릎으로 옮아가면서 코를 씻기운 기억에서부터 장마 지난 후 흙물 구덩이에 맨발로 들어서서 유모가 가슴이 서늘한 듯이 부르짖는 소리를 듣던 추억과 유모가 나간 뒤 조모의 등에 업혀 할머니가 가시던 반대의 길을 향해 애타서 손가락질하면서 유모의 집을 찾아가자고 조르던 일들, 이 같은 삼사 세 때의 어린 시절의 회상을 제하고 나면 나의 작은 생활은 또한 작은 투쟁이었던 것이다.

처음에 나의 어머니는 나에게 냉정한 듯싶었다. 늘 집에서 아침 식사에 닭을 삶으면 오빠에게는 닭 속만 주시고 나에게는 찌꺼기를 주셨었다. 혹 바꿔 먹어보고 싶을 때가 있었어도 오빠는 사납고 어머니는 퍽 엄한 어른이어서 작은 나의 부탁이 능히 이루어지지 못할 뿐이었다.

나의 의복, 어릴 때 명절 옷은 대개 연두저고리에 분홍치마였다. 다홍치마는 두어 벌 입었을까. 꼭 정하여 놓은 듯이 분홍 옷을 입었었다. 하루는 분홍 모본단模本緞* 저고리 대신 홍 모본단 저고리가 좋더라고 졸랐어도 어머니는 종래 들어주시지 않으셨다.

나는 어려서 늘 어머니께서 오빠에게만 주시는 듯한 사랑을 나에게 나누어 오려고 의식하였었다.

방 안에서 일상 잔심부름을 하거나 바느질을 배우노라면 안사랑⁑에서 오빠가 글을 외우다가 아버지에게 걱정을 듣는 소리를 들으면서 '나도 오빠와 같이 정신이 무디면 어쩌나' 근심하여본 때가 있었다. 하루는 어머니 앞에서 오빠가 외우다 못 외우던 글을 대신 외우고 퍽 칭찬을 받았다.

* 짜임이 곱고 윤이 나며 무늬가 아름다운 비단의 한 종류
⁑ 안채나 안쪽에 있는 사랑

—글을 잘하면 옛날에도 퍽 좋은 여자가 되더란다. 너 글 배우고 싶으냐.

—그래. 나 학교에 갈까. 엄마.

그 이튿날 촌 글방에 가는 형식으로 북어 한 쾌와 쌀 한 말을 사환하는 아이에게 지워가지고 일곱 살이나 되었던지 말았던지 한 나는 평양 남산현학교에 갔다가 평생 처음으로 서양 교사를 보고 놀라서 울었으나 학교에 다니기 시작한 지 며칠이 안 되어 낯익어졌었다. 거기서 외로운 나는 동무들을 사귀려고 결심해보았다. 그 결과 지금도 사귀는 평양 동무들이 많다. 그런 중에 한 가지 괴이한 추억은 이듬해 봄 첫 일요일에 성곽 뒷길로 산보를 가기로 한 여러 동무들이 부디 나를 앞세운 것이었다. 그 이유를 물으니 이구동성으로 나를 앞세우고 가면 선생님들의 눈에 띄더라도 꾸지람을 면하리라고 하는 것이었다.

그때 어리던 내 생각에도 그들의 계획은 틀렸었다. 나는 어리다. 주모자가 아니고 남들이 하자는 바람에 따르는 것이었다. 설사 꾸지람을 듣더라도 나는 면하리라고 생각을 하면서 앞장서 가기는 하였었지만 나중의 꾸지람은 나 이외의 큰 사람들이 들었다.

나는 거기서 일 년 반이라는 짧은 세월 동안에 3학년까지 진급하였었다. 그대로 그 학교에 머무를 것을 성탄축하일에 이르러 복잡한 사건이 생겼다. 동무들이 여러 외국 나라 풍속을 하던 중에 내가 유태 사람 풍속을 맡기로 되어서 집으로 돌아가서 아버지께 알려드렸더니 아버지는 대경실색을 하시면서

"조선 사람의 처지로 유태 사람의 흉내는 내지도 말아라." 그 이튿날 학교에 갔더니 내가 꺼리던 역을 딴 동무가 맡았다. 그다음부터 아버지와 어머니께서는 그 학교를 데면데면히 여기시고 나 역시 재미가 없어져서 사창골 학교로 전학하고 말았다. 그 학교에는 양씨와 한씨 두 분 선생님이 계셨다. 그중에 한씨 선생님은 나를 퍽 사랑해주셨었다.

이러한 어린 시절의 추억들을 참고해보면, 우월한 습관으로 인자한 생활을 향하여 전진하도록 의식하는 노력 여

하에 따라 한 생애는 반드시 순환소수와 같이 한 점 아래 언제까지든지 동일한 숫자를 얻게 되는 되풀이가 아닐 것이었다. 나는 어릴 때 사나운 오빠 때문에 일상 각시 함*을 뒤집혀서, 열 살이 못 된 어린 몸으로 서울에 와서 기숙사에서 자라면서 각시 함 같은 것은 꿈에도 생각 못 하고 우등 다툼에 열이 났었다.

그 후에 나를 윗길로 사랑해주시던 어머니께서 일찍 세상을 떠나신 후 나는 집을 떠났다. 그 후 들은 바에 의하면 내 유모가 나에게 있는 정을 다 쏟았다가 엄마에게 빼앗기고 정 둘 곳을 몰라서 성천읍成川邑으로 가서 부요한 생활을 한다고 하였었다.

그러나 사람들이 나를 꾸짖을 때 내 유모의 젊을 때 좋지 못한 행동이 나에게 젖줄로 내려 그러하리라고 귓속말한다는 것을 들었으나, 이것은 대단한 망언이다.

유모의 행동은 그의 생활상 수단이요, 내가 어머니 안 계신 가정을 탈출한 것은 청춘을 아무 하는 일 없이 흘려보내지 않고 고학苦學일망정 계속하려는 의식적 활동이었다. 말

* 옷이나 물건 따위를 넣을 수 있게 만든 통

하자면 몰이해한 사회 환경과 악독한 주위 사정에의 반항에 지나지 못한다.

나는 어릴 때 학교 기숙사에서 독한 말을 많이 배워서 남 저주하기와 나 스스로를 저주하기를 예사로 하던 때가 있었다. 그 버릇이 퍽이나 오래 남아 있어서 나의 첫 작품인 『생명의 과실』 속에도 독한 언구言句가 부지중, 들어 있는 것을 발견하고 일상 부끄럽게 생각한다. 그것은 분명히 유모의 젖줄로 내린 성미가 아니요, 그러한 정도의 가정 아동을 집합한 그때 그 학교 기숙사의 분위기 때문이니 학교 기숙사라는 미성년자의 사회를 의식적으로 선도하지 못한 데 기인한다.

소위 복福이라는 쇄국적 시대의 요물은 현실에 존재할 수 없는 옛날의 유산이요 혹은 근거 없는 영리요 백일하에 자태를 감춘 환상이다. 위대한 이상은 입지立志 여하에 달렸으니 이상이라는 목적에 도달하는 길은 험하고 갈래가 많아 의식 여하로 성불성成不成*에 가까워지는 것이다.

* 일이 되고 안 됨

길거리를 통행하는 사람들은 언제나 많을 것이나 그중에서 아는 사람이나 더욱이 그리운 사람을 만나기는 드물 것이었다. 그리하여 갑의 연인은 을의 원수요 을의 애인은 병이나 갑도 된다면, 사랑이라는 것도 갈등이요, 취향만을 위주로 하는 승리도 물론 아닐 것이다. 그렇다고 무지한 육체의 비만이 취향 다른 사람의 사모하는 마음을 함부로 하는 것도 익사자의 구토라고나 할까?

2

부금조浮金彫*

그 가슴에 오색선을 그을 때

젊은 여인은 대동강 부두에 섰다.

하이얀 능라綾羅의

옷나래를 풀날리며 풀날리며

* 이 시는 이후 개고를 거쳐 1938년 12월 『삼천리』에 발표되었다.

잠시의 처량한 시선을

강 건너 장림長林에 던지었다.

바람과 물결이 아뢰이던

자연의 운율을

어이 다 음부音符로 표標하리요,

그 음부책音符冊의 금색 부조浮彫,

밑으로 능라도 위로 부벽루

금선琴線을 조율하던

청춘의 상쾌한 걸음걸이,

청류벽 기슭으로 오를 제

드높은 노래 천하에 찼다.

이러한 글을 쓰던 나는 동경에서 병 치료에 골몰하며 아직도 돌아갈 길은 아득하였다. 매일 병원에 왕래하면서 의복으로나 행동으로나 저열해지는 조선 취향에 하품을 하고, 숙박소에서는 매운 것을 먹을 줄 모르면 조선 사람이 아니리라는 무지한 자랑에 구토하였다.

—성모마리아이시여, 이 소원 들어주사 낙망落望의 구렁에서 이끌어내시옵소서.

유일한 희망은 일요일마다의 성당에 있다.

조선 안에는 문화의 은총이 아직 골고루 베풀어지지 않았다. 그들은 아직도 어둠 속에서 헤맨다. 그들의 무위無爲, 그들의 빈한貧寒, 독과 악, 무지와 실직은 이루 말할 수 없다.

무위무능한 사람이 비교적 안락한 생활을 해온 것은 교통이 불편하던 쇄국적 시대의 상태로, 지금은 아니라고 외치나 유식有識 계급의 실직자란 더 한층 무능을 의미하는 것인 줄 잘 안다. 모순당착矛盾撞着이 그들을 설명하는 표어다. 그들은 의식 없이 세상을 살아왔다.

인생은 뒤떨어진 자를 돌아다보는 것도 아니요, 개혁과 전진이라고 이르더라도 그들은 들을까 싶지도 않다. 어디가 생활수준인가도 모른다.

그들에게 시전市電*을 탄 사람은 윗사람이요 지하철을 탄

* 시 교통국이 운영하는 노면전차

사람은 아랫사람이라고 일러주었을 바 아니지마는, 그들은 이따금 흙으로 쌓아올린 제방 위에 올라서서 그 아랫길 걷는 사람을 힘으로 으르고 협박할 때가 있다. 그들은 알지도 못하는 사람들 간에도 이러한 어리고 어린 해학이 통하는 줄 아는 것일까? 무미한 버릇이라고 하는 수밖에 없다.

생각해보라, 인정간에는 희로애락이 있고 친불친親不親이 있고 사랑과 미움이 있지 않은가?

발문

사랑하는 호을로

박소란

어느 저녁, 이런 시를 읽었습니다.

온 하늘이 그에게 호령하다

"전진하라 전진하라"

그는 어린양같이

두려움에 몰리어서

헐벗은 몸 떨면서도

한없이 달아났다

그동안에 날은 개었더라

청靑 댑싸리 둘러 심은 푸른 길에

누군지 그의 손을 이끌다

그러나 그는 호을로였다

—「탄실의 초몽」 부분

그러나, 그는, 호을로였다, 호을로였다……. 이토록 혼자인 사람, 헐벗은 몸 떨며 한없이 달아난 사람은 누구일까. 탄실, 그는 어떤 사연일까. 궁금해졌습니다.

생경한 발음의 고어古語는 분명 먼 것이었지만 호을로의 몸으로 아득한 시간을 넘어 지금 여기에 이른 누군가를 생각하면, 그가 여전히 호을로를 앓고 있다 생각하면 어떤 친밀감이 솟았습니다. 아마도 그 저녁 저는 땅만 보며 걸었을 거예요. 혼자였을 것입니다. 사는 일도 쓰는 일도 내 편은 아니라는, 지극히 새삼스러운 사실이 마냥 쓸쓸해지는 날이 있지요. 재차 깨닫게 됩니다. 결국은 다 호을로라는 것. 어떤 손도 호을로를 완전히 낫게 할 수 없다는 것. 속 깊이 파고드는 시어들을 더듬더듬 읽어나가며 저는 예감했습니다. 삶을 돌보는 순간순간 그의 시를, 그의 이름을 그리운 사람 떠올리듯 곱새기게 되리라고.

김명순,이라는 이름에 처음 관심을 두게 된 것은 더 한참 전의 일입니다. 여러 해 전 우연한 계기로 근대 여성 시인들의 대표작들을 한데 모아 읽은 적이 있었는데, 많은 시편들 가운데 유독 그의 시를 반복해서 읽게 되었어요. 너무

깊었다고 할까, 짙었다고 할까. “나는 세상에 다신 안 오리다/ 그래서 우리는 아주 작별합시다”「유언」 같은 선득한 목소리 앞에서는 누구라도 일렁이는 마음을 누를 도리가 없는 것이겠지요. 언젠가 제대로 읽어야지, 공부해봐야지, 막연한 결심을 구실로 가까스로 책을 덮었던 기억이 납니다.

그리고 몇 년이 지나 묵은 숙제를 할 수 있는 기회가 생겼지요. 출판사에서 읽기 강좌를 제안해 왔을 때 저는 거의 반사적으로 김명순을 떠올렸습니다. 그렇게 ‘김명순 읽기’라는 소박한 타이틀 아래 대여섯 명이 둘러앉아 그의 작품을 읽게 되었어요. 시도 읽고 소설도 읽고 에세이, 희곡, 콩트, 그리고 그가 직접 번역한 영미시들도 읽었습니다.(김명순은 에드거 앨런 포의 작품을 국내에 최초로 소개할 정도로 정력적이고 유능한 번역가이기도 했어요.) 개중 에세이는 특정 형식에 얽매이지 않고 자신이 겪고 느낀 것을 자유롭게 기술한 일반 수필부터 당시 사회의 관심거리에 대한 의견을 강하게 피력한 짧은 사설, 문학장의 중요한 흐름이나 개별 작품에 대해 평한 평론 등에 이르기까지 김명순의 다채로운 면모를 확인할 수 있는 작품들로서 우리를 특별히 더

사로잡았고요.(여기 실린 에세이는 김명순이 이십 대 초반이던 1918년부터 사십 대 초반이던 1936년 사이 쓰인 것이로군요.) 여섯 번을 만나 읽고 이야기하는 동안 우리는 자주 웃었습니다. 또 자주 탄식했지요. 이 작가의 놀라운 작품들을 읽게 된 것에 대해, 이 놀라운 작품을 이제야 읽는 것에 대해, 그리고 아직 많은 이들이 여전히 이 놀라움을 접하지 못하고 있는 것에 대해.

그러면서 여름이 가고 가을이 왔습니다. 함께도 읽고, 혼자서도 읽는 동안 제 뇌리는 온통 김명순이었어요. 그즈음 문학 하는 사람들을 만나면 저는 습관처럼 김명순 이야기를 꺼냈습니다. 그를 아느냐고. 읽어본 적이 있느냐고. 반응은 크게 두 가지였어요. 하나는 "김명순? 그게 누구지?" 하는 것이지요. 그 난감한 표정을 대하자면 괜히 서운해지는 것이었습니다. 또 하나는 "알긴 알지. 근데 지금 와서 웬 김명순?" 고개를 갸웃거리는 것. 이 또한 서운해지기는 마찬가지였습니다.

좋은 글은 언제 어디서나 읽혀야 마땅한 것일 텐데요. 그렇지만 에세이를 정리하기로 하면서 저 또한 속으로 되풀이해 물었던 게 사실입니다. 왜 김명순인가? 그러나 이는 '지금 왜 김명순인가?' 하는 질문보다 '나는 왜 김명순인가?' 하는 질문에 가까운 것이었어요. 전자는 그의 작품을 얼마간 자세히 들여다본다면 누구라도 쉽게 해소할 수 있는 의문이라 확신했으니까요. '지금 왜'는 곧 '지금도 반드시'로 바뀔 것을 의심치 않았습니다.

김명순의 무엇에 나는 이끌린 것일까? 생각을 더할수록 실은 잘 모르겠더라고요. 답을 찾을 수 없어서라기보다 너무 많은 답이 가슴 언저리를 맴돌았던 까닭입니다. 무엇이 저의 마음을 그에게로 향하게 했는지.

처음은 아무래도 화가 났기 때문이 아닐까요. 네, 그렇습니다. 저는 조금 화가 났습니다. 우리 문학사가 결코 지워서는 안 되는 이름이 이토록 희미해져 있다는 사실에.

한 번쯤 인터넷으로 검색해보셨겠지만, 1896년에 태어난 김명순은 1917년 문예지 『청춘』을 통해 등단한 이후 다양한 장르에서 두각을 나타냈고 시, 소설, 희곡 등을 한데 묶은 두 권의 작품집을 냈습니다. 『생명의 과실』1925과 『애인의 선물』1929 추정이 그것이지요.(세 번째 창작집을 준비하기도

한 것으로 알려졌으나 결과적으로 불발되었으며, 그 때문에 창작집에 수록되지 않은 작품도 여럿입니다.) 김명순은 등단이라는 제도를 거친, 그리고 개인 창작집을 발간한 한국 문단 최초의 여성 작가이자 1920~30년대 누구보다 활달하게 작품활동을 펼친 당대 대표적인 창작자입니다. 이 같은 문학사적 의의에도 불구하고, 오늘날 그의 이름은 너무도 생경하기만 합니다.

그 개인에게 삶은 몹시 혹독했지요. '기생의 딸' '부정한 혈액' '방종한' '타락한' 등의 조롱 가득한 꼬리표가 일평생 그를 따라다녔습니다. 어쩌면 그의 재능과 열정을 시기한 옹졸한 세상으로부터 "돌리어진"「내 자신의 위에」 것인지도 모르지요. 한 여성 작가에 대한 인식이 심각하게 왜곡, 훼손되어 있었던 만큼 어떤 보이지 않는 손들이 그의 이름을 소거하도록 종용한 것일지도 몰라요. 그는 다만 자신을 옥죄는 '불의不義'의 '감방'을 벗어나 자유로운 한 존재가 되기를 바랐을 뿐인데요. 이처럼 지당한 바람은 왜 그리 어려웠던 것일까요.(곰곰 생각해보자면, 이런 일은 백 년 후를 사는 지금의 여성들에게도 여전히 쉽지 않은 일이군요.) 『생명의 과실』 맨 첫 페이지에 실린 '머리말', "이 단편집을 오해받아 온 젊은 생명의 고통과 비탄과 저주의 열매로 세상에 내놓습니다"라는 말은 읽을 적마다 가슴을 저릿하게 만듭니다.

당대 신여성들과 같이 주창한 자유연애 사상은 여성주의적 관점의 진취적인 메시지이기 이전에 자신이 오롯이 자신의 삶의 주체가 되고자 하는 몸부림이었습니다. 그는 누구보다 자신을, 자신의 마음을 따르는 사람이었지요. 소설 속 한 인물의 입을 빌려 말하듯이, "사람은 언제든지 자기를 믿고 사는 것입니다. 외롭고 갈 데 없는 사람일수록 자유를 구하는 마음은 더욱 커지는 것입니다."「나는 사랑한다」

1951년경 일본의 한 정신병원에서 생을 마감하기까지 그는 혼자였습니다. 가정이나 국가 같은 최소한의 울타리도 그에겐 없었던 셈입니다.

아— 비웃는 이들이여, 당신들이 나를 실연자라고 오래 비웃어왔다. 하나 불행히도 당신들은 불행한 운명을 타고난 한 처녀가, 불의의 능욕을 받고, 살기를 원해서, 썩은 기둥으로 기왓장을 받쳐온 것을 도무지 헤아려주지 못했다.

당신들은 나를 비웃기 전에 내 운명을 비웃어야 옳을 것이다. 나는 이 지경에 겨우 이르렀어도 힘 있는 대로 싸워왔노라.

—「대중없는 이야기」 부분

치열한 내적 전투를 멈추지 않았던 그의 작품은 그만큼 처연하고, 굳세며, 아름답습니다. 그의 작품을 읽는 매 순간 이런 식의 이중주, 삼중주가 발생하지요. 함께 나누고 싶은 작품이 참 많은데요, 무엇부터 이야기해야 할까요. 그를 생각하면 저는 먼저 혼자만의 방에 웅크려 앉은 한 사람이 가만히 거울을 들여다보는 장면이 떠오릅니다. 또 잠시 시 이야기입니다.

나는 무수한 검붉은 아이들에게 묻노라
오오 허공을 잡으려던 설움들아
분노에 매 맞아 부서진 거울 조각들아
피 맞아 피에 젖은 아이들아
너희들은 아직 따뜻한 피를 구하는가.

아 아 너희들은 내 맘의 아픈 아이들

그렇듯이 내 마음은 피 맞아 깨졌노라

—「내 가슴에」 부분

거울은 여지없이 깨어진 채입니다. 거울을 통해 제 안의 상처를 투사해내는 이 순간이 저는 오래도록 잊히지 않았어요. 너무 아파서, 잊을 수가 없었습니다. 그 수두룩한 아픔을 두고 "피에 젖은 아이들아" 호명하는 그가, 그가 기꺼이 일으켜 세운 그 생생한 분신들이 그럼에도 저는 좋았습니다. 추방과 유폐가 반복되는 가운데 "작은 작은 것의 생명과 같이"「유리관 속에」 유리관 속에 갇혀 고된 시간을 어떻게 견뎌왔는지 감히 짐작하게도 되었어요. "왜? 살아가려느냐" "무엇 때문에 악착하게 살려고 하루걸러 의사의 신세를 지며 애쓰느냐" 자주 회의하면서도, "노력은 컸으나 공은 없었고 오래 살려고 하면 할수록 죽게 되는 생활"「사랑?」을 한탄하면서도 그에게는 단 하나, 바로 자기 자신이 있었던 것이에요. 제 속에 수많은 자신이 너무도 또렷한 얼굴로 꿈틀대고 있었던 것이에요. 바로 이 자신으로 하여 세상에게서, 사람들에게서 "돌리어진" 채 어두운 관 속에 갇힌 은둔자는 버틸 수 있었겠지요. 스스로 악착같이 길러낸 그 자신이 또다시, 읽고 쓰고 생각하기를 멈추지 않을 수 있었던 유일한 힘이 되었겠지요.

단언하건대 그의 호을로는 막강한 것입니다. 작품을 읽는 내내 저는 자주 놀랐어요. 여러 불행의 증거에도 그는 결코 지치거나 꺾이지 않는 사람이었으니까요. 잇달아 절망하고 비탄하면서도 그 한편에는 묘한 의지가 일곤 했어요. 대체 그 근저에 무엇이 있었기에? 되짚어보자면, 그는 분명 혼자였으나 실은 사랑과 함께였지요. 마치 가슴 깊숙이 하나의 씨앗을 심어둔 듯이. 그 하나만을 정성으로 보살펴 가꾸듯이. 그 사랑이란 실상 혼자였기에 더욱 가능한 일이었을까요.

아아, 사랑! '영원한 동경'이자 '거룩한 순정'인 것. 조금의 티끌도 묻지 않은 고귀한 것. 사랑에 대한 이 같은 절대적인 믿음이 그에게는 있었지요. 사랑에 있어서 그는 누가 뭐래도 이상주의자입니다. 저로서는 감히 흉내 낼 엄두조차 내지 못하겠어요.

우주가 무한대한 것과 같이 인생, 즉 사랑도 무한대이외다. (…) 사람 사람마다 잠시 사랑이라는 것을 맛보고는 그것이 전체의 사랑인 줄로 오해합니다. 그래서 혹은 실패니 실연이니 합니다. 참으로 우스운 것입니다. 사랑은 무한대이외다. 사랑은 무한대이외다.

—「사랑?」 부분

그는 끝내 사랑을, 사랑만을 지킵니다. 그의 호올로는 사랑으로 기어코 충만할 수 있었달까요.

작품을 읽는 내내 저는 도처에서 그가 피어올린 사랑을 만났습니다. 사랑하는 그를 만났어요. "문란한 꽃을 사랑치 않는 대신/ 사람을 사랑할 줄 아는 그대" "가시 덩굴에 무찔린 나를/ 인생의 향기로 살려낸 그대"「그러면 가리까」 찬미하는가 하면, "마음속에 숨은 한 그림자", 즉 사랑에게서 "내 힘으로 네 불행을 낫게 할 수 있겠느냐" 하는 말이 듣고 싶다며 "아무 힘으로도 그 마음에서 그 그림자를 뽑아 던질 수 없"「꿈 묻는 날 밤」다 역설합니다. 경우에 따라 "모든 인생은 움 돋아나는 사랑의 힘의 동그라미 안에서 몸을 맞

추도록 벗어날 수가 없는 것이 아닐까요?" 말하면 "그렇습니다 그렇습니다"「의붓자식」 답하며 죽음도 불사하지요.

어느 때에는 "길바닥에, 구르는 사랑아/ 주린 이의 입에서 굴러 나와/ 사람 사람의 귀를 흔들었다/ '사랑'이란 거짓말아" 절규하기도 합니다. 시 「저주」입니다. "미덥지 않은" 사랑을 "어떤 날은 만나지라고 기도하고/ 어떤 날은 만나지지 말라고 염불한다"라고 하는데, 1924년 조선일보 발표 당시 이 시의 마지막 구절은 "내 마음에서 사라져라/ 아! 목숨이 끊어지더라도"입니다. 왠지 이 말은 목숨이 끊어지더라도 내 마음에서 사라지지 말라,는 뜻에 더 가까워 보이는데요. 어쨌든 그는 "후회하고 낙심하고 분발하는" 가운데에서도 끝내 "사랑을 곱게 곱게 펴"「꿈 묻는 날 밤」는 사람입니다. "내가 당신을, 사랑합니다. 아무리 안 하려고 해도 그래집니다"「봄 네거리에 서서」 하는 고백은 얼마나 절절한 것인지요.

그렇다면 다시 이런 질문도 가능하겠네요. 이 절절함의 기원은 도대체 어디일까. 그의 사랑은 어째서 이다지도 맹목적일까. 추위 속에서도 온기를 잃지 않는 영성의 까닭 말이지요. 다분히 생래에 가까운 것이리라 저는 추측합니다. 타고난 기질이 아니라면 이 신념을 설명할 길이 없을 것 같아서요. 그게 아니라면 혹 그의 뿌리인 '어머니'에서 단서를 찾을 수도 있을까요. 그에게 가장 풍요했던 사랑의 순간을 짚으라 주문한다면 아무래도 "어린 몸으로 푹신푹신한 비단보 요 위의 향내 나는 어머니의 무릎"「대중없는 이야기」을 지시하지 않겠어요. 일찍이 그가 경험한 최초의, 최고의 사랑 말이지요. 그러나 오래 지속되지는 못했던.

"나를 윗길로 사랑해주시던 어머니께서 일찍 세상을 떠나신 후 나는 집을 떠났다"「생활의 기억」는 고백에서 알 수 있듯, 그의 삶은 줄곧 "어머니 없는 집에 남아서 어미 잃은 병아리 모양"「계통 없는 소식의 일절」이었을 것입니다. 그러나 그 최초의 경험은 강력한 효험을 지닌 듯합니다. 추위에 떠는 매 순간 그 짧은 사랑의 경험은 그를 데우는 화로가 된 듯해요. 눈을 감으면 "어머니의 품속같이 고요"「귀향」한 기운이 그를 감싸곤 했던 것이지요. 짧지만 강한 사랑의 경험으로써 한 사람의 외로운 내면은 무엇이든 그릴 수 있었을 것입니다. 무한의 힘을 발휘할 수 있었을 거예요.

사랑에 있어서 그는 단연코 이상주의자가 맞지만, 그렇다고 그 이상이 낮꿈처럼 허망하고 망연한 것은 아닙니다. 그의 사랑은 성애性愛인 동시에 향수鄕愁이며, 삶에의 의지이자 문학에의 열망이었습니다. 거의 모든 것이었어요.

이 추운 날 새벽에 향수에 걸린 병인은 객지에서 돌아갈 곳을 잃었다. 참으로 생활을 그치고도 싶다. 그러나 이 굳센 애착! 엿줄같이 늘어나가는 동경! 실로 억제할 바 없구나를 생각한다.

—「향수」 부분

언니여, 노래는 아직도 입 밖에 내서 부를 것이 나오지 않습니다. 아아 제 속에는 이상에 불타는 사람들과 같이하자는 애착이 밀어가 되어 새 광명을 얻은 듯이 장차 자라날 희망을 가지고 웃음 웃었던 것입니다. 이 두문불출하는 한 칸 방 안에는 남모르는 자신과 길한 행복이 숨었습니다. (…)

사랑은 지극히 드물게 있습니다. 사람의 인격 완성과 같이 드물게 있습니다. 아득거리고 변하고 속이는 것이 사랑이 아님은 당연합니다.

참사랑을 얻으면 노래하지요. 그때까지 밀어입니다.

—「계통 없는 소식의 일절」 부분

이 완고한 사랑은 탄성을 뱉게도, 한숨을 짓게도 만들 것입니다. 우리는 대체로 지극한 현실을 사는 사람들이니까요. 고백하자면 저는 지금껏 단 한 번도 이런 사랑을 해본 적이 없는 것 같습니다. 이토록 절박한 마음을 믿어본 적이 없는 것 같아요. 저의 혼자는 늘 황급히 단념을 택했던 것 같습니다. 그런 방향이 으레 합리적이고 온당하다는 듯이. 그러는 속에서 정작 단념한 것은 사랑하는 일이 아니라, 사랑하는 상대가 아니라, 저 자신이었어요. 그것은 끝내 '나'라는 존재를 멈추는 일이었어요. 사랑에 대한 그의 결기 앞에 이제 와 문득 알아차리는 것입니다.

이쯤에서 저는 소설 「나는 사랑한다」를 한 번쯤 읽어보시라 권하고 싶어요. 강렬한 만남 이후 오랜 세월 잊지 못하던 이를 결혼 후 우연히 다시 만나게 된 '영옥'은 그와의 사랑을 절실히 "희망"하게 됩니다. 애정 없는 부부 생활을 청산하고 그간의 "방향 잃은 동경"을 다시 살려내고자 하지요. 그 사랑은 영옥에게 "생명을 건 싸움"과 같은 것입니다. 마지막 장면은 이렇습니다.

큰불이 일어났다. 좋은 집이 탄다고 사람들은 서러워하였다. 그러나 그 불더미 속에 소리 들리어 이르되 "사랑하는 이여 아름다운 말 전부는 너의 이름이다" 하고

"나는 사랑한다!"

"나는 사랑한다!"

하더라.

—「나는 사랑한다」 부분

누가 지른 불일까요? 영옥 스스로가 극단적 최후를 자행한 것일까요? 결혼이라는 허울뿐인 관계, 남성 중심의 가부장제에서 벗어나기 위한 상징적 행위 같은 것일까요? 이 행위에는 물론 자유연애와 여성해방이라는 거대한 메시지가 담겨 있다고 봐도 무방하겠지요. 그러나 제가 여기서 가장 눈여겨본 대목은 "나는 사랑한다" 하는 마지막 외침입

니다. 이 말은 물론 일차적으로 "사랑하는 이"를 향한 것이 분명하지요. 아울러 세상을 향한 것이겠지요. 나는 그를 사랑한다고! 그러나 그 이전에 이 외침은 사랑하는 주체 그 자신을 향해 있습니다. 지금 이 순간 사랑을 하고 있는 나 자신의 상태에 대한 선언인 것입니다. 사랑하고 있는 상태 자체, 살아 있는 순간 그 자체. 그러므로 "나는 사랑한다"는 자연히 "나는 존재한다"로 치환할 수 있을 것도 같습니다.

사랑은 결국 그 누구도 아닌 '나'의 것이지요. 내가 나로서 온전하고자 한 의지, 자신을 멈추거나 그치지 않을 수 있는 용기. 다른 말로 하자면, 이는 자신을 향한 거센 집중이지요. 저는 다시 묻습니다. 나는 왜 김명순인가? 이에 대한 중요한 답으로서, 하나의 숭고함을 이야기하고 싶어요. 자신에 오롯이 몰두하며 사색하는 한 인간에게서 뿜어져나오는 숭고함. 이것이 저를 매료시킨 것이겠지요, 결국.

탄실아, 너는 간다. 네 한 몸의 영화로운 지식을 얻기 위해서 너는 간다. 그리고 입을 다문다.

오오 탄실아 탄실아.

네 한 몸의 문제만 풀러 너는 간다.

—「네 자신의 위에」 부분

젊은 수색자야, 해녀야, 네 길을 간다 할지라도 갈수록 남의 길일 것이며 남아 보이는 것이 학대일 뿐이니 부질없는 등산을 멈추고 네 몸 위에 값없이 던져지던 남의 생활의식 남의 감정을 전부 뽑아내어 던져라!

—「거울 앞 독백」 부분

다시 처음으로 돌아와 이야기합니다. "사람은 언제든지 자기를 믿고 사는 것입니다" 했던 바로 그 지점! 사랑으로 충만한 "젊은 수색자" 탄실이 향하는 곳은 다른 어디도 다른 누구도 아닌 바로 자신인 것입니다. 그간 자신을 괴롭히던, "값없이 던져지던 남의 생활의식 남의 감정" 따위 "전부 뽑아내어 던져"버리는 것입니다. 나 자신을 위해, 나 "자신 위에 고요히 돌아가 정밀히 생각해보"「네 자신의 위에」는 것입니다. 오직 이 하나의 사실만을 새기는 것으로도 이미 충분하겠지요.

그렇지만 이 뒤에는 또 얼마나 깊은 삶에의 통찰이 펼쳐지는지요. 이를테면,

> "이 세상에 물 한 방울이라도 그저 사라지는 바가 없다. 하물며 한 사람의 일생을 통한 간절한 이상이 왜 실현되지 않으랴? 우주의 찬 꿈이 열대에 실현되며 더운 꿈이 한대에 실현되는 것같이 한 사람의 지극한 열성을 다한 이상이 그 자신의 일생 가운데 어디서든지 실현되고야 말 것은 너무 당연한 일이다. 나는 잘못 생각하였었다. 역시 나는 내 이상을 실현하자고 끊임없이 붓을 잡을 것이다. 아아 참 인생의 아득함이야 악마로다" 하며 그는 창백한 손가락으로 물끄러미 유리창에 쓰기를
>
> "너희들 아무리 곤란하더라도 희망하여라! 보앙카레" 하고 굵고 튼튼히 하였다.
>
> 겨울날 맑은 빛이 빛나듯이 그의 눈에는 청신한 빛이 빛났다.
>
> —「시필」 부분

이런 것! 종내 김명순은 말하고 싶었을까요. 우리, "곤란하더라도 희망하"기로 해요, 라고. 네, 그래보기로 합시다.

“한 사람의 지극한 열성을 다한 이상이 그 자신의 일생 가운데 어디서든지 실현되고야 말 것”을 믿으며. 김명순, 그가 그러했듯이. 사는 일도, 쓰는 일도, 또 그 어떤 일도 내 편이 아닐 때 나만은 기필코 나의 편이 되어주기로 합시다. 사랑하는 호을로를 잃지 않기로 합시다.

이제 막 우리의 숙제는 시작되었고 앞으로 긴 시간 계속될 것입니다.

지금 다시 김명순의 글을 읽는다는 건 행복한, 그러나 분명 무거운 일이 아닐 수 없겠지요. 뜻을 정확히 파악할 수 없는 여러 단어들, 얽히고설킨 문장들 앞에서 자주 머뭇거리게 되겠지요.(저 또한 매번 그러합니다.) 그리고 갖가지 이유로 자주 웃고, 자주 탄식하게 될 것입니다.

끝으로, 사사로이 몇 줄 더 덧붙이자면, 이런 이야기입니다. 원전原典을 살핀 뒤 이해를 돕고자 오늘날의 기준으로 글의 부분 부분을 다듬는 과정이 있었고, 이 과정에서 행여 원뜻을 상하게 하지는 않을까 각별히 조심했다는 것. 부족

한 역량 탓에 여러 겹의 회의가 교차하기도 했다는 것. 그러나 조금 용감해지기로 했다는 것. 지금 당장은 읽는 일! 어떻게 해서든 읽는 일이 가장 필요한 것일 테니까요. 그러니 계속해서 더듬더듬 읽어나가기로 하겠습니다. '자신'을 향한, '나'를 향한 그 빛나는 사유의 힘을 믿고 나아가기로 하겠습니다. 이 어설픈 작업이, 그럼에도 불구하고, 오늘날의 또 다른 김명순'들'에게 어떤 반짝임을 선사할 수 있다면 더할 나위 없이 기쁘겠습니다.

김명순의 글을 일부나마 모아 정리할 수 있었던 것은 동갑내기 친구이자 유능한 편집자이자 출판사 핀드의 대표인 김선영 씨 덕분입니다. 그 덕분에 용감해질 수 있었어요. 이 책은 거의 전적으로 선영, 그가 김명순의 글을 함께 읽고 함께 놀라워해준 결과임을 밝히고 싶습니다. 물론 이 또한 『김명순 문학전집』서정자 남은혜 엮음, 푸른사상, 2010이나 『김명순 전집: 시 · 희곡』맹문재 엮음, 현대문학, 2009과 같은 훌륭한 연구자분들의 앞선 작업이 있었기에 가능했다는 사실, 그 사실은 자명합니다. 더불어, 『애인의 선물』 등 귀한 자료를 열람할 수 있도록 허락해주신 서지학자 오영식 선생님께 각별한 감사를 전합니다. 그 어디에서도 만날 수 없었던 『애인의 선물』 원전을 근대서지연구소의 질고한 탁자 위에서 대면한 순간의 뭉클함을 오래도록 간직하게 될 것입니다.

반복해 읽을수록 깊이를 더해가는 단어와 문장. 그것을 되뇌며 보낸 여름, 가을, 그리고 겨울이었습니다. 이 낯선 단어가 품은 뜻은 무엇일까, 이 문장 속에 깃든 것은 어떤 마음일까. 김명순, 그를 헤아리는 시간이 좋았습니다. 다 좋았습니다. "차디찬 겨울의 따뜻한 꿈이로구나"「시필」 합니다.

사랑은 무한대이외다

초판 1쇄 발행 2023년 2월 10일

지은이 김명순
엮은이 박소란
편집 김선영
디자인 이파얼
조판 한향림

펴낸곳 핀드
펴낸이 김선영
등록 2021년 8월 11일 제2021-000312호
주소 04021 서울시 강남구 논현로24길 42, 201호
전화 02-575-0210
팩스 02-2179-9210
이메일 pinned@pinned.co.kr
인스타그램 @pinnedbooks

ISBN 979-11-981721-0-5 03810